[英] 罗兰 · 布鲁克　著
李娟　译

马背上的女孩 ❶

再见了，妈妈

天津教育出版社
TIANJIN EDUCATION PRESS

图书在版编目（CIP）数据

再见了，妈妈 /（英）布鲁克著；李娟译. —天津：天津教育出版社，2012.4
（马背上的女孩）
ISBN 978-7-5309-6682-2

Ⅰ. ①再… Ⅱ. ①布… ②李… Ⅲ. ①长篇小说—英国—现代 Ⅳ. ①I561.45

中国版本图书馆CIP数据核字（2012）第042667号

版权合同登记号：图字02-2012-49

再见了，妈妈

出版人	胡振泰
作　者	［英］罗兰·布鲁克
译　者	李　娟
监　制	李　娟 陈禺舟 苗　洪
责任编辑	谢　芳
特约编辑	王　丽
版式设计	蒿薇薇
出版发行	天津教育出版社 天津市和平区西康路35号　邮政编码　300051 http://www.tjeph.com.cn
经　销	全国新华书店
印　刷	北京温林源印刷有限公司
版　次	2012年4月第1版
印　次	2012年4月第1次印刷
规　格	32开（750×1120毫米）
字　数	100千字
印　张	6.25
书　号	ISBN 978-7-5309-6682-2
定　价	19.80元

献给真正懂得，用心倾听的克雷洛·沃克

人物介绍

艾米·弗莱明	本书的主人公，一个十五岁的少女。
卢·弗莱明	艾米的姐姐。
玛丽恩·弗莱明	艾米和卢的妈妈，赫特兰德马场的主人。
杰克·巴特利特	艾米和卢的外公。
泰·鲍德温	赫特兰德马场十七岁的小伙计。
苏拉娅·马丁	艾米关系最好的闺蜜。
贝尔夫人	一个年迈的老太太，小马驹萨加富的主人。
马特·特里温	艾米的男同学。
斯科特·特里温	当地的一名兽医，马特的哥哥。
卡尔·安德森	卢在纽约的男朋友。
尼克·哈利维尔	著名的骑马越障明星选手。
艾什莉·格兰特	艾米的同学，一个有天赋的骑手。
瓦尔·格兰特	艾什莉·格兰特的妈妈，绿石南马场的主人。

马匹介绍

科珀	一匹饱受摧残的马，四周前来到赫特兰德马场。
切斯特	一匹枣红色大猎马，曾经非常害怕上拖车，现已基本痊愈。
珀加索斯	艾米爸爸以前的参赛马。
萨加富	贝尔夫人最心爱的小马驹。
茉莉	一匹俊俏的黑马驹，性格极好，人见人爱。
桑旦斯	一匹鹿皮小马驹，脾气暴躁，但深得艾米喜爱。
斯巴达	被马伦一家遗弃的一匹枣红色种马，为了救它，玛丽恩不幸丧生。
明日之星	障碍赛明星选手尼克・哈利维尔的马，很聪明，因不敢进出拖车而被送到赫特兰德马场。

第一章

校车在远处消失了，艾米·弗莱明把帆布背包背到肩上，沿着通往赫特兰德马场的车道走去，车道很长，路上尘土飞扬，两旁的原野上挤满了大小马匹，它们沐浴在午后的阳光下，悠闲地咀嚼着青草，不时甩甩尾巴，挥打身上嗡嗡飞舞的苍蝇。艾米忍不住笑了。这一幕总让她感到回家真开心。

艾米沿着蜿蜒的车道快步往前走，尽头是用隔板搭建的简陋小屋和砖瓦砌的马厩，马厩的门被粉刷一新，白得有些晃眼。艾米刚走近，就看到一扇马厩门“吱呀”一声开了，赫特兰德马场十七岁的伙计泰牵着科珀走了出来——科珀是一匹阉割过的栗色种马。

艾米冲泰挥了挥手，但泰只顾着牵引科珀，没有看到。泰牵着马走过岔道上的小围场，朝场地最高处的环形训练场走去。艾米用手遮住有些刺眼的阳光，这才看到等在大门口的妈妈的身影。

艾米匆匆经过农舍，跟在泰身后，沿着小道走去，再没有什么比看妈妈驯马更让她喜欢的事了，看样子妈妈是要训练科珀。

泰牵着马到大门口，科珀昂起头，驱赶落在它脸上的苍蝇。泰本能地伸出一只手去帮它，出乎意料，科珀突然惊恐地长嘶了一声，身子急往后闪。

“科珀！”艾米看到科珀后腿直立，腾空而起，前蹄在空中乱蹬，不禁倒抽一口凉气。

“吁！”泰很吃惊，赶紧出声控制马匹。

科珀的前蹄“啪嗒”一声落到地上，它泛白的双眼流露出惊恐，泰想去抓缰绳，这个突如其来的动作又吓到了

科珀，它再次后腿直立，腾空而起，前蹄在空中危险地舞动，眼看就要踢到泰的脑袋。

“科珀小心！”妈妈玛丽恩·弗莱明的声音传来。转眼之间，玛丽恩已经来到泰的身边，她一把从他手里接过缰绳，冲马喊道：“放下！放下！”

科珀刚放下前蹄没多久又再次站立起来。玛丽恩松开了手，只轻轻握着缰绳的一端。艾米专注地看着妈妈，只见妈妈蠕动着嘴唇，喃喃有声，让受惊的马平静下来。

科珀打了个响鼻，放下了前蹄，接着再次腾空而起。但这次没有先前那么高了。玛丽恩继续安抚它，科珀的前蹄终于轰然落下，这次是四肢着地，稳稳地站在那里，只是身子还在轻轻发抖。玛丽恩久久未动，紧盯着马，声音平静、舒缓。等到科珀完全放松下来，玛丽恩转开视线，慢慢靠近。

艾米屏住了呼吸。

当玛丽恩伸手去摸科珀的笼头时，科珀喷了喷鼻息，乖乖垂下了脑袋。

5

艾米大出一口气，悬着的一颗心总算落下了。

泰吓得面无血色："真不敢相信我居然会这么蠢！"

玛丽恩转过身来："没关系。泰，你只是大意了，之前人们把手放在科珀头上，它是怎么反应的，你忘了吗？"她拍了拍马，"这不能怪它，它这么做情有可原。"

艾米明白妈妈的意思。科珀四周前才来到赫特兰德马场。这是一匹饱受摧残的赛马，据说，它的前主人因它一连撞翻了几个障碍就用鞭子狠抽它的脑袋。多亏了玛丽恩的悉心照顾，科珀才慢慢恢复对人类的信任。

玛丽恩似乎这才发现艾米："嗨，宝贝！"笑意点亮了她一双碧眼。"今天上学开心吗？"

"当然。"艾米敷衍道，她不想谈学校，所以几步走上前去，紧接着问："科珀没事吧？"

"它会没事的。"玛丽恩一边回答，一边牵着科珀到了训练场。"我要和它联合了，想看吗？"

"那还用问！"艾米一边急急忙忙回答，一边走到大门口，站在泰的身边。"嗨。"她向泰打了声招呼，把书包扔到了地板上。

“你好。”泰回应道。他的头发从额前垂下，眼睛看着艾米，那双碧蓝的眼睛流露出一些难为情的羞恼。“我猜你都看到了。”

艾米知道他说的是让科珀受惊的事，点了点头。

“我真不敢相信自己居然会那样去帮它赶苍蝇。”泰边说边摇头，“你肯定吓坏了吧？”

“别担心。”艾米将手臂从大门顶端伸了出去，用手肘轻推了他一下，“快看。”

艾米专心致志地看着，一时看得出神。

科珀迈着平稳的步伐绕着训练场自由慢跑，马蹄在沙地上有节奏地踢踏，玛丽恩·弗莱明站在训练场中央。

人和马之间没有绳子牵系，但似乎有一根无形的线连接着。当玛丽恩上前一步，科珀就放慢了脚步；而当玛丽恩往后退时，科珀便加快了步伐。科珀的外耳朝前竖起，内耳却留意着训练场中央的玛丽恩。

科珀伸长脑袋和脖子，鼻孔冲地面喷气。这表示科珀信任玛丽恩。

艾米扫了泰一眼。他的眼神也对上了艾米的眼睛，两人交换了一个会心的笑。“再没有什么比看你妈妈工作更美妙了，”泰轻轻地说，“哪怕我和马相处有她十分之一好，我就心满意足了。”

“我也是。”艾米叹了口气。

玛丽恩敦促科珀继续前进。又转了两圈后，科珀的嘴开始一张一合，好像在咀嚼着什么。艾米知道这正是妈妈等待的信号。她看到妈妈将身子侧着靠近马，耐心等待着。马慢下脚步，停了下来。它朝训练场中央望去。

艾米屏住了呼吸：科珀决定要和玛丽恩联合了吗?

科珀停顿了一秒，然后朝玛丽恩走去，在她身旁停下，温和地喷着鼻息。玛丽恩温柔地摩挲着科珀两眼之间。

艾米感到激动的泪水模糊了双眼，她知道那一刻到来了，妈妈找到了一种和这匹受过惊吓的马沟通的方式，反过来，妈妈也得到了它的接纳和信任。

8

当玛丽恩让科珀再次跑动时，泰转身低声说：“我们走吧，让你妈妈继续。”艾米点了点头，轻轻拎起书包。

艾米和泰走过向外铺展的牧野，经过后排牲口棚十二间马厩，转到了前排马厩。

泰三年前就开始在赫特兰德马场帮忙，起初只在周末和放学后来这里兼职，赚钱补贴家用。十六岁那年泰从高中辍学，以全职养马来实现自己的抱负。艾米很高兴，泰对付马很有一套，他在这里的时间越多，这里也就越有趣。

“我得去帮切斯特梳理了。”泰说。当他们经过马具室时他停下来去拿马笼头和梳洗用的水桶。

艾米朝畜栏走去，那里，切斯特——一匹枣红色的大猎马正从半掩的门上方往外探望。切斯特一直待在赫特兰德马场，以克服上拖车的恐惧。

“你怎么样？是不是好得不得了？”艾米抚摸着切斯特的鼻子，轻声问道。这时泰拿着马笼头走了过来。

“我不知道原来你也关心马！”泰咧嘴笑了。

艾米在他胳膊上一拍。“怎么和我对你的看法一样？”

泰走进马厩，拍了拍切斯特：“它明天就要回家了。你妈妈说它已经准备好了。”

“明天？”一想到离别在即，艾米的心便轻轻往下一沉。在赫特兰德马场生活和工作最痛苦的事情之一，莫过于马要去新家或像切斯特那样，被送还给它们的主人时和它们道别。“我会想念它的。”她轻声说。

泰点了点头：“我也是。”

一时间，两人都只站在那里，静静地抚摸着切斯特。

“嘿，别愁眉苦脸的。”泰说。艾米意识到他正在看她沉着一张脸。“至少这意味着……”

“我们又能接收一匹新的马，给它帮助，”艾米帮泰把话说完了。看到泰满脸诧异，艾米得意地笑了。“我们想的一样。”

“叽驾，我需要帮助！”泰装作马的样子说。艾米又做势要打他，泰赶紧躲开了。

泰拿起一把马刷开始给切斯特梳洗，艾米问道：“卢打电话过来了吗？”

泰摇了摇头：“没有啊。怎么了？你在等她电话吗？”

艾米点点头：“是啊。她要回来参加我的生日派对。她说会打电话来告诉我她什么时候到。”一想到即将见到姐姐，艾米那双灰眼睛便熠熠生辉。“我都等不及见她了。我好久没见到她了！”

“她肯定会回来吗？”泰怀疑地问道。

“当然。”艾米看到泰有点儿怀疑，“肯定会！”她强调说，“这次她承诺过的！”

艾米把书包甩到肩上，走出马厩，往粉刷一新的农舍走去，农舍向右斜对着马厩。也难怪泰会怀疑，姐姐卢自一年前从英格兰回来，在纽约找到一份高节奏的银行工作起，就一直承诺会回来看看。但到目前为止，总有什么事情出现在最后一分钟阻止了卢。

艾米推开后门，将自己的运动鞋踢进厨房里。“嗨！我回来了！”她大声宣布。

厨房大而凌乱。一个书架立在一个角落里，上面摆满了养马方面的书和杂志，眼看都快要挤爆了。破烂的旧餐桌上堆满了零零碎碎的东西——蹄签，马嚼子，单只手套，一罐钥匙。

艾米的外公——杰克·巴特利特正在餐桌旁修理一个木理毛箱。“嗨，宝贝儿，今天上学怎么样？”杰克面带微笑地放下螺丝刀问道。

艾米翻了翻白眼，拿了瓶可乐：“真高兴放学了！卢打电话过来了吗？”

杰克·巴特利特摇了摇头：“还没有，我想她下班后会打来。”

艾米点了点头，从一个罐子里掏出几块饼干。“我换衣服去了，外公。”

艾米踏上蜿蜒的楼梯朝卧室走去，一步跨两级。像往常一样，她的房间乱七八糟。养马杂志的页边都卷起来了，在地板上扔得到处都是。床铺也没整理，一半梳理马的工具丢在卧室的餐桌上。她一边把牛仔工作服和T恤往身上套，一边朝外望着前面的马厩。切斯特正在门上探头探脑，泰正走进珀加索斯的马厩。

艾米将淡棕色的长发扎起，匆匆走到楼下厨房。就在这时，电话铃响了。“我来接。”她嘴里说着，已经从墙壁上摘下了无线电话。

“我猜肯定是卢。”

还真是。

“心有灵犀呀。”艾米惊喜地喊道，“我就知道是你。”

“是的，是我，”卢说，“嗨。”

“你明天什么时候到？”艾米迫不及待地问道。“我们七点吃晚餐，但妈妈说你也许会早到。我都等不及见到你了！”

“嗯……”

艾米听出了姐姐声音里的犹豫。

“你会回来，是吧？”艾米追问道。

“对不起，艾米，”卢尴尬地说，“工作上出现了一些事情……我不能耽搁。”

13

“但你承诺过！”艾米知道自己的声音听起来像六岁小孩，但她不在乎，她不能相信卢会再次反悔。

“我知道，我很抱歉。我真的很抱歉。”卢的声音突然变得开心起来。“听我说，要不你来看我吧？我们可以一起去购物，或去看场电影。你想做什么都行。”

“是啊，当然。”艾米的声音很冷淡。

“你能代我向妈妈和外公转达我的歉意吗？”卢说，“我去邮局给你寄了份礼物。卡尔让我代他向你转达祝福。”

艾米一声不吭。

卡尔·安德森是卢的男朋友。艾米只见过他一次，艾米不喜欢他。艾米跟他讲马场的工作时，他哈哈大笑：“马的数量在急剧减少，人们接下来还会想出什么新花样呢？”

艾米不知道卢看中了卡尔·安德森哪一点。

卢似乎感觉到了电话那头不自在的停顿。“我们很快就会见面的，”她急忙说，“我保证。但现在我得挂电话了。拜！”

艾米“砰”的一声挂断了电话。她早就该知道！她的眼神和外公相遇了。他关切地看着她：“卢不回来了吗？”

“是！”艾米气冲冲地说，“还是和以前一样有工作要忙，脱不了身。”

杰克·巴特利特叹了口气：“你知道卢对待工作的态度，亲爱的——工作对她来说很重要。”

“我十五岁的生日同样重要！”艾米喊道，“而且不管怎么说，工作不过是个借口。她只是不想回到这里！你知道她不想。她每次都找借口。”

外公没有否认。

“她也挺为难的，”外公叹了口气说，“这你是知道的。”

艾米一脸不高兴地坐在椅子上。外公拍了拍她的肩膀，走进了大厅里。“这里有样东西，你看了准保开心。”回转身递给艾米最新一期的《马生活》杂志。

“来了！”艾米开心地喊道，一时忘记了言而无信的姐姐。她坐下来打开杂志，眼睛一路向下扫了一遍目录。是的！看到了——《赫特兰德马场的生活》，第二十三页。

她赶紧翻开。

在弗吉尼亚东北部连绵的山脉中，“马女士”——玛丽恩·弗莱明在赫特兰德马场施展魔法。赫特兰德马场位于赫特兰德农场，是一个各种大小马匹和驴子的救护所。人们把马送到这里来治疗，抚平昔日伤痛。

艾米咧嘴笑了，她喜欢这句话。她接着往下读：

玛丽恩·弗莱明曾经一度是世界顶级马术障碍赛选手，十二年前，她在婚姻破裂后开始经营赫特兰德马场。她当时的丈夫蒂姆·弗莱明——英国马术障碍赛选手，在世界马术障碍赛冠军赛中因一次失误致残，余生都将在轮椅上度过，再也不能骑马。

艾米皱起眉头，迅速浏览余下内容，是关于她父亲的事故的。讲他作为金牌得主热门人选在奔跑过程中因速度过快，导致他的马——珀加索斯撞到最后一道栅栏上，无法适当跃起，跳栏顶部卡在珀加索斯四肢之间，珀加索斯跌落下来，整个身子压在了它的骑手身上。蒂姆·弗莱明在跌落后暂时瘫痪了。

不舒服的刺痛感流遍艾米全身。事发当时她才三岁，对这起事故没有什么清晰的印象，也不记得爸爸不能接受自己受伤的事实，离开她们之后发生的事情。她真正记事是从赫特兰德马场——她外公的家开始的，她和妈妈最终带着珀加索斯过来投奔了外公。她飞快扫过眼前的文字。让她如释重负的是，接下来的一段文字重新把关注点转移到赫特兰德马场上：

赫特兰德马场共有十八间马厩，是那些从可怕的忽视或残忍的体罚中解救出来的马的康复中心。那些被视为危险、无法驾驭或无处可去以及无人能帮助的马，都被送到了这里。玛丽恩·弗莱明在照料珀加索斯恢复身体和心理健康的过程中习得了其他一些治疗方法，她将使用传统兽药与此相结合，摸索出了接触这些马的方式。当它们情况好转后，大家就会共同努力给它们寻找一个新家。

文章接下来讲的是玛丽恩也治疗私人饲养的有行为问题的马。艾米飞快读到最后。

“感觉怎么样？”当她抬起头时，外公问道。

“棒极了！”艾米兴奋不已，阴霾一扫而光。“文章把妈妈写得太神奇了。将会有数不清的人把他们的马送到这里来！”她一下子跳着站起身。

“艾米，别高兴得太早……”

但是艾米耸了耸肩不听外公继续说教。她全身上下每一个细胞都洋溢着兴奋。

“妈妈看过这篇报道了吗？”她急切地问道。

“还没有。”外公回答道。

“我去给她看看！”艾米说。

艾米穿上运动鞋，跑过院子，希望这会儿妈妈已经驯完科珀了。

艾米思绪万千。这篇文章一定会给他们带来更多付费顾客，这意味着他们的收入会增加，也就意味着他们能帮助更多的马。

艾米开始浮想联翩。她面前浮现出一个崭新的牲口棚，里面有二十间马厩，一辆新的马拖车。冬天户外训练场深陷泥泞中时，也许还可以做个室内训练场。她最大的愿望就是让赫特兰德马场越办越成功。而这篇报道将能助他们一臂之力！

她赶到了训练场。妈妈正站在训练场中央，轻拍着科珀。

“进来吧。”妈妈对艾米喊道。

艾米从门上翻了进去。

“《马生活》杂志报道我们的那篇文章出来了！

马生活

瞧！”她说着急匆匆地走过去。

玛丽恩从她手里接过杂志，开始读起来，艾米则在一旁小心翼翼地抚摸着科珀温暖的脖子。

“我喜欢这句。”妈妈笑道，“抚平昔日伤痛——这句写得很好。”

“我觉得也是！”艾米露齿一笑。她从口袋里掏出一把薄荷糖喂给科珀。它呼哧呼哧地把它们吃进了嘴里，往她的手掌里喷出温暖的气息。“好小子。”艾米对科珀说，异常轻柔地抚摸着它的脸。

玛丽恩微笑着，一时忘了看杂志：“四个星期前你还不敢跟它这么亲近呢。”

艾米点了点头，从妈妈的肩膀上望过去：“那篇报道还不错吧？我打赌肯定会有很多人把马送到咱们这里来救治。赫特兰德马场将会有大笔收入。”

“目前来说我们也干得不赖啊。”妈妈说，“现在的付费客户量已经快让我们忙不过来了。”自开创赫特兰德马场以来，玛丽恩的名气越来越大。他们现在已经拥有了稳定的客源，人们把马送到她这里，希望她能治愈它们的行为问题。

“但如果我们能赚更多，我们就能建个新的牲口棚，帮助更多需要救助的马了。”艾米说。

玛丽恩笑了。“那让我们等着看会发生什么吧。”她把杂志递还给艾米。“来吧，我们把这个小伙子送回去。”

她们牵着科珀穿过大门，往院子里走去。当走到科珀的马厩时，艾米突然想起另一个不太好的消息。

“卢打电话来了，她不回来了。”

“噢。”玛丽恩说，脸顿时沉下来。

艾米把电话内容告诉了玛丽恩。

“还是像以前一样，”艾米再次怒火中烧，“她永远都不会回来。她每次都说会，但结果都放我们鸽子。她一点儿都不关心我们，她关心的只有她那愚蠢的工作和卡尔！”

“艾米，你知道不是这样的。”玛丽恩说着拿起一个马刷，开始给科珀刷洗全身。“卢爱你，她爱我们所有人。她只是感觉回这里很难。”

“那太离谱了！”艾米喊道，“这里可是她的家。”

“不，这里不是，艾米，”玛丽恩说，“你知道这里不是。”

艾米想反驳妈妈的话，但内心深处她知道妈妈说的是事实。

爸爸走后，卢就拒绝搬到弗吉尼亚。她坚信父亲有一天会回来，她曾恳求妈妈让她留在英国的寄宿学校里。玛丽恩同意了，因为玛丽恩不忍心让卢经受更多的情感压力。

学校放假，卢也从没有回过赫特兰德马场，她总是找借口和朋友待在英国。当卢难得过来一次时，总是毫不讳言：是马造成了爸爸的意外和突然离去。卢觉得玛丽恩和艾米离开英格兰是错误的。

她英国口音很重，有时候让人很难相信其实她是个美国人——更别说是艾米的姐姐了。

艾米叹了口气。尽管她们天差地别，但总归是姐妹。“我只是想见到她，妈妈。”

“我知道，宝贝儿。”玛丽恩同情地说，“这是人之常情。她总有一天会回来的。”

“是啊，也许是我六十岁的时候！”艾米反驳道，“她为什么就不能忘记爸爸的事故？那件事过去那么久了。”

玛丽恩摇了摇头：“我知道你对那件事的感受是那样。但卢当时年龄稍大些，她和你们的爸爸异常亲密。他们密不可分。”

玛丽恩露出些笑意：“卢小的时候，你们的爸爸很为她感到自豪。我们的什么马他都让她坐过，她什么马都能骑。她酷似你们的爸爸——勇敢又能干。你知道，你们的爸爸出事后她表现得有多棒。”她叹了口气，艾米看到妈妈眼里的哀伤。“她那么坚强，承担了许多事情。我真不知道没有她我们该怎么办。”

玛丽恩垂下头，两人之间出现了短暂的沉默。艾米艰难地咽了口口水，突然感到一阵歉疚。她从来没想到妈妈也非常想念卢。

玛丽恩抚摸着科珀的额毛，挤出一丝笑意。

“卢最终会想通的，”玛丽恩对艾米说，“你等着瞧好了。”她最后拍了拍科珀，走出了马厩。珀加索斯在隔壁马厩里探头探脑。当玛丽恩走过去和它打招呼时，它轻轻嘶叫了一声以示欢迎，乌黑的眼珠亮了起来。玛丽恩充满爱意地把一只手搭在它灰色的大脑袋上。

艾米跟着玛丽恩：“我也像爸爸吗？”

有一会儿，玛丽恩没有回答。

“妈妈？”艾米坚持问道。随着艾米年龄渐长，她对自己父亲的好奇也与日俱增，但妈妈很少愿意提及他。

玛丽恩看着艾米高挑苗条的身材，灰色的头发和厚密的睫毛下那双灰溜溜的眼珠。

“外表上看是，你长得像他。”玛丽恩静静地说，“但内心里，我觉得你更像我——情绪化，凭直觉行事。”

玛丽恩笑了。

“我想正因为如此，我们才结成了这么强大的联盟。卢——她现在很实际，非常务实。”

“像爸爸？”艾米说。

“是的。”玛丽恩说着点了点头。她停了下来，两眼因痛苦而变得幽暗，她垂下了眼睛。

“好吧……我一直都这么看他。” 玛丽恩小声说，声音那么轻，几乎听不到。玛丽恩沉默了很久，然后看着艾米担忧的脸，似乎想挤出一丝笑意。

“来吧，别一副愁眉不展的样子，” 玛丽恩说，“嘿，听我说，干吗不趁着我们喂马这会儿牵匹小马驹出去兜兜风呢？今天下午天气这么好，干活儿有泰和我两个人就够了。”

听到妈妈的提议，艾米很吃惊。她很少在上学的日子有机会出去骑马——以往骑马去玩总是在完成工作后。“好吧。”艾米高兴起来。

玛丽恩笑了：“毕竟你生日也快到了。”

“苏拉娅过会儿就来，”艾米说，“看她想不想和我一起去。”苏拉娅·马丁从三年级起就一直是她最要好的朋友，她几乎和艾米一样喜欢马。

玛丽恩点了点头：“好主意。你们俩去开心开心。”

就在这时，后门开了，外公杰克·巴特利特探出头来。“玛丽恩！电话！”他喊道。

玛丽恩冲艾米飞快地笑了一下，急匆匆地穿过院子。艾米朝珀加索斯走过去。珀加索斯用口鼻轻轻蹭着艾米，艾米则把脑袋舒服地靠在它强壮的脖子上。

对艾米而言，疼爱和照顾珀加索斯似乎拉近了她和爸爸之间的距离。她希望卢也会有同样的感觉。

“你觉得卢什么时候会回来？”艾米问马儿。珀加索斯静静地喷了喷鼻息算是回答，艾米抱住了它。至少艾米需要找人倾诉时，珀加索斯总在这里。

“我爱你。”艾米小声说。

艾米一边等妈妈，一边用手指轻柔地在珀加索斯的耳朵上打圈，这能帮助它释放紧张、恐惧和痛苦。这是玛丽恩在送到赫特兰德马场来的马儿身上使用的诸多治疗方法之一。珀加索斯垂下它那颗硕大的脑袋，回应着艾米娴熟的抚摸，显然，它很享受这种关注。

几分钟后，玛丽恩从房子里走了回来："是韦恩·泰勒，他想明天早上过来接切斯特。"马厩前面的两匹马——杰克和塔尔卡在不耐烦地踢门。玛丽恩笑道："来吧，我们去喂马。"

饲料室的空气中弥漫着甜菜渣的香甜气息。蜘蛛网吊挂在天花板的横梁上，旧石板铺就的地板已经开裂了。玛丽恩开始将糠麸、大麦和苜蓿草块铲进老旧得发黄的喂食篮里。

"你骑马出去的时候能不能替我去贝尔夫人那里走一趟？"玛丽恩问道，"我答应过会儿给她送些草药过去，帮忙治治萨加富的马库蚊叮痒综合征。"

"没问题。"艾米满口答应。

贝尔夫人年事已高，她住在一条偏僻的山路上的一栋小房子里。她有一匹设得兰矮种马，名叫萨加富。那匹马就像个跟屁虫似的，贝尔夫人走到哪里它就跟到哪里，它不像是匹马，更像是条狗。艾米有时候会顺道去帮贝尔夫人照看它。

“我们拜访贝尔夫人之后还可以去克拉克代尔山，”艾米说着往每个篮子里加了一铲浸泡过的甜菜渣，“苏拉娅还没见过马伦家的新马呢。”

妈妈皱起了眉头。“你外公在镇上听说马伦一家要搬走了。”

“这么快？”艾米大吃一惊。他们到这里还没多久。马伦一家租住在克拉克代尔山上一栋残破的旧房子里。他们房前贫瘠的田地里有一群骨瘦如柴的动物——母鸡、狗和几头羊。就在前不久，一匹漂亮的枣红色小种马也加入到这群家畜中，艾米一逮着机会就会骑马过去看它。

“他们要搬到哪里去？”艾米问道。

“好像没有人知道。”玛丽恩说着捡起积满灰尘的鳕鱼肝罐子，往每份饲料里滴了一些。“希望有更丰盛的牧场供那些可怜的动物放牧。但这消息也有可能是谣传。”

“我会去查清楚的。”艾米说。

玛丽恩看着艾米，告诫她说：“一定要记得沿小路走。去克拉克代尔山的路骑马太危险了。”

“好的，妈妈。”艾米叹了口气。关于那条路妈妈已警告她不下上千次了。她摇了摇头，拎起一篮饲料，朝前面的马厩走去。

第二章

喂完马后，艾米朝放牧小马驹的田野走去。一匹俊俏的黑马驹站在门边，嘶叫了一声，跟她打招呼。

“嗨，茉莉。”艾米说着从口袋里掏出一袋薄荷糖，给这匹母马喂了一颗。茉莉狼吞虎咽地吃进了肚子，又立即用软乎乎的鼻口蹭着艾米，想要更多。

包装纸的窸窣声引起了田野里其他小马驹的注意，它们都抬起头，竖起耳朵，挤到门边。艾米开始在它们中间分发薄荷糖，力争做到公平。突然，一匹鹿皮小马驹冲过来驱散了马群，这匹马耳朵向后竖起，龇牙咧嘴的。

鹿皮小马驹突然停住脚步，粗鲁地把脑袋朝艾米的胸口顶过来，艾米大喊一声：“桑旦斯！”

桑旦斯威胁似地冲其他小马驹瞪了瞪眼睛，警告它们后退。“你就喜欢欺负人！”艾米严厉地呵斥桑旦斯。

桑旦斯抬起头深情地注视着艾米。

“谁，你在说我？”

桑旦斯蹭着艾米，开心地喷着鼻息，好像在问艾米。艾米亲了亲它金黄的脑袋。桑旦斯机灵地抬头看着她，但马上自毁形象，朝前面的茉莉一脚踢过去。艾米叹了口气。桑旦斯怎么也改不了那臭脾气，但艾米并不在意，不管怎么样她依然爱桑旦斯。

两年前，艾米从在马市上看到桑旦斯被关在围栏里的第一眼起，就不可救药地爱上了它。它小小的耳朵向后竖起，高昂着头，像是要和这个世界负隅顽抗，攻击任何胆敢走进它的围栏为它做检查的人。

“它会被宰掉，送上餐桌。”艾米听到两个男人说。

但桑旦斯没有被宰掉，艾米说服妈妈买下了它，此后一直训练它，并逐渐赢得了它的爱和信任。令所有人大跌眼镜的是，桑旦斯具有非凡的跳栏天赋。现在想买它的人趋之若鹜。但玛丽恩向艾米保证她决不会卖掉它。

“艾米！”

艾米扭过头去。苏拉娅手里拿着个马笼头，正沿着小径跑来，黑色的卷发在肩上跳动。

“嗨！”艾米喊道。

“嗨！”苏拉娅喘着粗气，“我刚到这里。你妈妈说我们能去路上骑马。”

艾米点了点头。“你想骑哪匹？我要骑桑旦斯。”

苏拉娅只略一思忖就决定了，“我要骑茉莉。”她对赫特兰德马场的大小马匹像艾米一样了如指掌。

茉莉是赫特兰德马场的又一个长期居住者。它以前是一匹花式骑术表演小马驹，因肢关节轻微肿胀，前蹄跛了，马主人正给它安乐死，是玛丽恩救了它。成功治愈关节软瘤后，现在的茉莉很健康，承担轻活儿完全没问题。

茉莉是一匹漂亮的马，有一半阿拉伯血统，脸是凹陷的，身上有一块白斑和两个白色标记。和桑旦斯完全相反，茉莉性格极好，人见人爱。尽管知道和茉莉告别很难，但艾米还是希望有一天茉莉能找到一个新家。

艾米和苏拉娅没花多长时间就从原野里牵回了两匹小马，给它们梳洗完毕后，又套上马具。出发前，艾米从妈妈那里取来了给萨加富的草药，放进鞍囊里。

她们骑上马，沿着通往柚木山的沙泥路走去，那条路高耸在赫特兰德马场后方，山上树木葱郁，险峻陡峭。她们一路朝贝尔夫人的房子骑去，山上的树木为她们遮挡住了阳光，凉爽怡人。

“你知道卢什么时候到吗？”苏拉娅问道。

“她不来了，”艾米回答道，“她打电话来说不回来了。”

“什么——又放你鸽子？”苏拉娅问。

“是啊，又一次。”

苏拉娅同情地看着她，像往常一样机灵地转换了话题：“你觉得自己会收到什么生日礼物呢？”

艾米决定不再去想卢，兴奋地回答道："嗯，我想要库珀商店橱窗里的那件蓝色夹克——你知道的，就是防水的那件。到现在为止，我都指给妈妈看不下十次了。"

"噢，那件的确不错。" 苏拉娅点了点头。库珀是当地的马具店。她们每次到镇上都会去那里逛逛。

"外加新手套和表演马裤。"艾米继续说道。

苏拉娅笑了："你觉得马特会送你礼物吗？"

艾米想起了马特·特里温，他个子高高的，一头浅棕色头发，眼睛是褐色的，喜欢歪着嘴笑。她耸了耸肩："我不知道。"

"我打赌他一定会！" 苏拉娅说，"一眼就能看出他喜欢你。他在学校时老在你身边晃，还到赫特兰德马场来……"

"他是和斯科特一起来的。"艾米打断了她的话，"不是来看我。"马特的哥哥斯科特是当地的兽医，他造访赫特兰德马场时马特经常坐他的车一起来，一下车就腻在艾米身边，"他说他想体验一下当兽医的感受。"

“说得好像是真的似的！”苏拉娅眼珠子咕噜一转，“人人都知道马特想当医生。”

“嗯……也许他在考虑改变心意。”艾米说。

“艾米！”苏拉娅喊道，“你就别装了！你知道马特想约你。你为什么不干脆承认呢？换作是我，我就会答应！”

艾米努力寻找合适的措辞。倒不是说她不喜欢马特，有他在身边很有趣，他们相处得也很好，只是……

“我希望他能更喜欢骑马，”她说，“他不太喜欢马，对不对？不像斯科特。”她补充道，想起了把毕生精力奉献给马的二十九岁的斯科特。她看到苏拉娅一脸疑惑。

“艾米！”苏拉娅喊道，“有时候我真搞不懂你！全校最帅的男生拜倒在你脚下，为你神魂颠倒，而你满脑子想的却是他并不真心喜欢马。我们班几乎所有女生，只要能和马特约会愿意不惜一切代价！他英俊、聪明、体贴，我要是能遇到有他一半好的男生就心满意足了。到目前为止和我约会的全都是混蛋！”苏拉娅上次约会的男孩欺骗了她。她的脸突然又明亮起来。“这也说不好，也许我在夏令营会遇到个好的。”

“我敢肯定你会遇到的！”艾米衷心地祝愿。

七月初，苏拉娅将去参加一个月的骑马夏令营。在那里，每个人都会分配到一匹马，要照看它一整个月，并带它参赛。苏拉娅的父母为她安排了这个夏令营，作为一份特别礼物送给她。“我会想你的。”想到将有一整个月不能见到自己最要好的朋友，艾米怅然地说道。

“当然，”苏拉娅抚摸着茉莉的脖子，“我也会想你的——还有所有的马。但我八月份就回来了。”

艾米冲她咧嘴笑了：“也许还会带个新男友回来。”

苏拉娅的脸亮堂起来：“希望如此！”

两个女孩咯咯笑起来，敦促马开始慢跑。树荫下非常凉爽，她们并驾齐驱，风从身边呼啸而过，艾米真想永远这样跑下去。但她们很快就到了通往贝尔夫人的小隔板房的那条泥泞小道，环绕那栋房子的围墙破烂不堪。

“吁，小伙子。”艾米让桑旦斯慢慢停下。“我想知道贝尔夫人在哪儿。”她对苏拉娅说。

就在这时，茉莉嘶鸣了一声，前方房子的一侧也应声传来一声轻轻的嘶鸣声。艾米和苏拉娅相视一看，翻身下马，牵着马绕到后面的菜园，她们看到贝尔夫人正蹲在一块稀稀拉拉的菜地里挖胡萝卜，她动作缓慢地将它们放进旁边的一个篮子里。她每拔一根胡萝卜似乎都要费好大的劲。一匹设得兰小马驹紧挨着她站在那里。贝尔夫人一边忙活一边用她嘶哑、颤抖的声音唱着歌。

“你好，贝尔夫人！”艾米喊道，但是那位老妇人没听见。她继续歌唱。萨加富高兴地站在她身边，竖着耳朵。

“我们把桑旦斯和茉莉留在这里吧。”艾米对苏拉娅说。她们将这两匹小马驹系在一根篱笆柱子上，沿着小路朝菜地走去。

贝尔夫人每挖完一块地，就沿着那排胡萝卜往前挪，而她的那匹小马驹——萨加富则一路跟着她。贝尔夫人系着一条破破烂烂的围裙，戴着一顶旧帽子，但萨加富看上去状态极好。它栗色的皮毛闪闪发光，金黄的长鬃毛和尾巴都理顺了，双眼从浓密的额毛下露出来，乌黑发亮。

贝尔夫人转身去拍这匹设得兰小马驹，对它小声说道：“你觉得呢，萨加富，今年夏天的南瓜不如从前，你说是吧？”

萨加富贴在她的手上摩擦，轻声地嘶叫着。

“它太可爱了！”苏拉娅说。

“贝尔夫人。”艾米又喊了一声。

听到她的声音老妇人吃了一惊，当看清是艾米和苏拉娅后，笑意映亮了她的脸。“你们好。”贝尔夫人说，她慢慢站起身，笑容满面。“真高兴见到你们两个。”萨加富朝苏拉娅小跑过来，在她身上蹭着找吃的。“你们两个小丫头想喝点儿什么吗？”贝尔夫人问道。

“我不用，谢谢。”艾米说着看苏拉娅，她也摇了摇头。“我们就是过来看看你，顺便带送点儿草药给萨加富。妈妈说这些草药能治好它的库蚊叮痒综合征。你还好吗，贝尔夫人？”

“噢，我嘛，我很好。”

可艾米觉得贝尔夫人的气色一点儿都不好。这位老奶奶呼吸沉重，还夹杂着一种奇怪的喘息声。

“需要帮忙吗？”苏拉娅主动提出。

“你真是太好了，小宝贝儿。如果你能帮我把这个篮子提到房子里去，就是帮了我大忙了。”

两个女孩跟在贝尔夫人身后进了房子，苏拉娅提着蔬菜篮，艾米拿着那包草药。贝尔夫人靠在萨加富的脖子上，支撑着身体。艾米看到这匹小马驹非常懂得如何帮助自己的主人，感到十分神奇。萨加富径直走进厨房，让老妇人靠在它身上，直到她慢慢坐进一把椅子里。

艾米环顾四周，看着那开裂的旧水槽、餐桌边唯一的一把椅子和木板上磨得细薄的蓝色地毯，鼻腔里充盈着煮青菜的陈腐气味。萨加富自己走到门边的一张矮桌前，从水果钵里叼起一个苹果。

“允许它这么做吗？”苏拉娅吃惊地问道。

“噢，它只是去帮我拿一个。”贝尔夫人说。她抚摸着萨加富的脖子，它流着口水、充满感激地将苹果放进她的围裙里，脑袋靠在她肩上。“它知道它只能进厨房，”她继续补充道，“因为有了它，这里才像个家。”

“它跟着你多久了？”苏拉娅好奇地问道，她没有艾米对贝尔夫人了解那么深。

“十二年了。我还记得我看到它的第一天。”贝尔夫人陷入深深的回忆之中。“那时它刚断奶，我从没见过比它更小的马驹。我花钱把它买了下来，此后它就一直陪在我身边。”萨加富蹭着贝尔夫人的肩膀，贝尔夫人把一只手搭在萨加富的脖子上。“好吧，我们要开工了，”她说，“家务活儿还没干呢。”

“你确定自己没事吗，贝尔夫人？”艾米关切地问。她一直很担心这位独自住在柚木山上的老妇人。除了邮递员埃里克·比斯利和艾米自己，好像从没有其他人来看望过她。

贝尔夫人对着她笑起来。“我当然没事，宝贝。有萨加富照顾我呢。”

艾米和苏拉娅骑马下山往回走时，艾米转向苏拉娅：“我觉得我们应该多去看看贝尔夫人。”

苏拉娅点头表示赞同：“她看起来的确不太好，对不对？”

艾米点了点头：“回去后我会告诉妈妈。”

从柚木山上远眺，克拉克代尔山脉高耸入云，幽暗、陡峭地映衬着蔚蓝的天空。阳光依然炙烤着她们，但远处靠近山脉的地方，大片的乌云似乎正在聚集。“我们要不要去马伦家看看？”艾米说。

苏拉娅咧嘴一笑：“太好了！我想去看看你一直提起的那匹马。”

“它棒极了！”艾米说。

道路越来越宽，她们夹起身子，马开始小跑。艾米身子往前探着。

突然，艾米看到两棵树倒在道路一旁，于是踢了踢桑旦斯，让它前进。看到路障，桑旦斯一如既往地竖起耳朵，抬起头，步伐充满力量。当它跑到树旁时，艾米感到它的肌肉绷得紧紧的。它轻松地跳过了木头，那一跳至少有半米高，四肢落地时弓背跃起以缓冲。艾米抓住桑旦斯的鬃毛哈哈大笑。

她们放慢了速度。“桑旦斯跳得真漂亮！”苏拉娅说着拍了拍茉莉乌黑的脖子。“今年夏天你要不要带它去参赛？”

艾米点了点头。桑旦斯是大马驹猎手赛中的佼佼者。有艾米骑着它，它在观众面前光彩四射，每一跳都完美无瑕，从来没碰到过一根杆子，它跳跃的动作矫健、漂亮，连裁判都无法抗拒它的魅力。在训练场里它彬彬有礼，俯首帖耳。当它恶狠狠地冲茉莉摇头晃脑，耳朵斗志昂扬地向后竖起时，艾米暗地里心想：真走运，那些裁判没有看到过它在家横行霸道的模样。

苏拉娅咧嘴笑了：“艾什莉最好提防着点儿。”

她们俩咯咯笑了。艾什莉·格兰特和她们在同一所学校。她美丽又富有，也是个很有天赋的骑手。艾什莉的父母经营着一个小小的代养马场——绿石南马场，艾什莉的妈妈瓦尔·格兰特是那里的驯马师。艾什莉什么表演赛都参加过，她骑着那些昂贵的循规蹈矩的小马驹赢得了无数奖项。艾什莉第一次看到艾米骑着桑旦斯来参加比赛时，因为它不漂亮的鹿皮皮毛和在场外的火爆脾气，艾什莉管桑旦斯叫骡子。可当艾什莉看到桑旦斯慢慢跑进赛场，完美地竖起耳朵，一举拿下蓝绶带时，她就笑不出来了。

“我有没有告诉过你艾什莉的妈妈想买下桑旦斯？”艾米说。

“你一定是在开玩笑！”苏拉娅吃惊地回答道。

“她上周打过电话来。”艾米笑了。“她可出了大价钱。妈妈当然没同意。”她拍着桑旦斯的脖子，“我决不会让你去绿石南马场那个鬼地方的！”

绿石南马场和赫特兰德马场的训练方法迥异。瓦尔·格兰特执迷于暴力和极严苛的纪律。她训练马要服从任何骑手的命令——经她调教的马大多数时候表现抢眼，也能在比赛中获胜。瓦尔·格兰特认为和马建立关系纯属浪费时间。

可对艾米来说，任何不尊重马，不能正确理解马的人都让她非常气愤。

就在此时，茉莉太靠近桑旦斯了。它长啸一声，亮出了白牙。

“不过转念一想，桑旦斯，”艾米说，“也许你就需要像艾什莉这样的主人！”她哈哈大笑，迅速拍了拍桑旦斯，表示只是在开玩笑。

艾米不知道夏天和桑旦斯要参加多少场比赛。她有点儿小小的野心，不仅想在初级跳马比赛中让桑旦斯露露脸，还想带它去参加马驹猎手班。可问题是没有那么多时间。如果赫特兰德马场忙不过来，妈妈是没办法带她去的。但她并不十分在意。尽管艾米很喜欢比赛，但这并不是她生活中最重要的——她的头等大事是帮助赫特兰德马场的马儿们。

“我们小跑起来吧。”苏拉娅说。艾米点了点头。

离克拉克代尔山越近，地形就变得越陡峭。陡峭的山坡上覆盖着簇生的杂草，裸露的地表布满岩石。山坡上散落着几栋孤零零的房子。

她们拐上了通往马伦家的小路。

“快看！”艾米边喊边拉住了桑旦斯。三束带刺的铁丝绑在小路两旁的柱子上，高度到了两匹小马的胸部，想跳过去太危险了。艾米想到，通常如果小路无法通行，不管怎样都会封锁的。

“也许发生了岩石崩塌什么的。”苏拉娅说着让茉莉在桑旦斯身边停下。她抬头看——远处的乌云现在聚集过来了。“我们还是回去吧，看上去天像要下雨了。”

“但我们都快到了！”艾米表示反对。她渴望再见到那匹枣红色的种马。“我们可以绕过去。”

“但你妈妈一直告诫我们不要走那条路。”苏拉娅怀疑地说道。

“没事的。”那匹种马诱惑着艾米。“我们在那条路上只需走不到五分钟。来吧！”她敦促桑旦斯向前，扭头往后看，苏拉娅犹豫了片刻才跟上来。

这条路狭窄曲折，路两边都是崩塌的石壁，石壁上堆着旧木柱和生锈带刺的铁丝网。

“看起来不太安全。”苏拉娅说着望向前方的急转弯。

“听我说，没事的。”艾米不耐烦地重复道。

她们小跑着踏上小路，马蹄在磨损的柏油路上发出清晰的咔嗒声。当她们拐过第二个弯时，小路骤然进入了一条黑暗的林荫隧道。桑旦斯不确定地喷着鼻息，停了下来。

“没关系，”艾米敦促桑旦斯前进，“继续。”

桑旦斯朝前走进了黑暗中，步子抬得老高，小心翼翼。空气突然变得清冷，头顶上，树叶编织的华盖挡住了温暖的阳光。

突然响起一声疯狂、尖厉的叫声，一只鸟忽地从旁边的树上蹿出来。茉莉和桑旦斯都急忙闪躲，在打滑的地面上站立不稳。艾米向后朝苏拉娅扫了一眼，看到她的脸绷紧了。

“我们继续小跑吧。”艾米飞快地说。她开始感到不安，妈妈说得对，这条路太危险了，不适合骑马。如果一辆车从转弯处开过来，速度过快的话……

她咂了一下舌头，催促桑旦斯继续前进。马儿受到惊吓，变得激动不安，但她成功把它安抚了下来，它开始稳步小跑。几分钟后，她们走出了林荫隧道，艾米感到很高兴。她们前面就是那条通往马伦家的路了。她松了口气，拐上了那条路。

当她们靠近时，艾米蹙起了眉头，让桑旦斯放慢速度开始步行。“他们走了！”艾米吃惊地说。

毫无疑问，房子里没有人。那匹枣红色的种马和那几头瘦成皮包骨头的羊羔在原野里消失了，生锈的拖车也不见了，窗户上光溜溜的，没有挂窗帘。只有门边剩下的几袋垃圾，显示最近这里住过人。

“噢。”苏拉娅的声音听起来很失望。

艾米的心往下一沉。她真的想再见到那匹种马。“我想我们该回家了。”她泄气地说。

她们骑马从房子一侧绕过，往回向延伸至柚木山和赫特兰德马场的小路走去。她们经过了几栋荒废的木制外屋。空气已经变得厚重而凝滞，乌云压顶。

“这很吓人呀。”苏拉娅小声说道。

茉莉突然把头伸向空气中，尖利地嘶叫起来。两个女孩都吓了一大跳。

“茉莉！”艾米喊道。她刚要说什么却顿住了，静谧的空气中传来一声回应的嘶鸣。她和苏拉娅惊得面面相觑。

“那声音是从哪里传来的？”苏拉娅倒抽一口冷气。

“我，我也不知道！”艾米结结巴巴地回答道。她疯狂地四处张望，几乎以为是听到了鬼叫。这时，又传来一声嘶鸣。

这次艾米听出了声音是从哪个方向传来的。“那个牲口棚！”她指着其中一个外观结实的外屋说。桑旦斯往边上躲，它高昂着头，淡黄色的耳朵竖起，她抓紧了缰绳。苏拉娅正在尽力控制又在兴奋嘶鸣的茉莉。艾米迅速下马，把桑旦斯牵到苏拉娅身边，把缰绳猛地往她手里一塞。“你来牵它！”

艾米跑过通向小屋的一小段路，一大颗雨点落在她胳膊上。她没去理会，用手指摸索着门上生锈的金属门栓。艾米能听到门那头的地板上有马蹄刨抓的声音。为什么有匹马被关在这个牲口棚里？里面会是什么状况？门栓猛地向后拉开了，但门僵硬沉重，纹丝不动。

“小心！”苏拉娅焦急地喊道。

艾米正打算用尽全身力气把门顶开，但她看了看自己。苏拉娅说得对——马被关在黑暗里肯定受到了惊吓，恐惧会让任何马变得危险。

艾米小心翼翼地将门推开一条缝，往里看。有一会儿她什么都看不见，但慢慢地，她的眼睛适应了里面昏暗的光线。她倒抽一口冷气。

马厩后面，马伦家那匹漂亮的枣红马正在疑惑地打量着她。

第三章

“是那匹种马！”艾米大声告诉苏拉娅。她把门进一步推开，门在地面上拖拽，发出沉重的声响。一旦门开的缝隙足以放进一些天光来，她就能清楚地看到那匹种马了——而那匹马也能看到她。枣红马站在牲口棚后面，恐惧地转动着眼珠，肌肉收缩绷起，它的肩膀和侧腹都在发抖。

“没事的。”艾米尽量安抚它，“我不会伤害你。”她的眼睛扫过小屋。地板上光溜溜的，没有水和食物。但这匹种马的身体状况还好，这说明它关在这里不超过一两天。

马开始凄厉嘶叫。艾米心如撞鹿。如果她再把门推开一点儿，它也许会冲出来。那将会相当危险——它要么会逃到克拉克代尔山脉的旷野里，要么会跑到那条狭窄的小道上。她们得想办法帮助它。她转身看向苏拉娅：“我们得做点儿什么！”

苏拉娅正手足无措地忙着处理自己的问题。受到那匹种马的刺激，桑旦斯和茉莉不停打转。桑旦斯想去咬茉莉，而茉莉吓得后腿直立。苏拉娅疲于应付，只能勉强待在原地。

艾米抬头望着灰暗的天空。天开始下起了大雨，豆大的雨滴往下落。她的心怦怦直跳，她再次转身朝牲口棚走去，努力从门缝往里钻。

“放松。”她对那匹受惊的种马喊道。那匹马半抬起前蹄，她赶紧跳开。“安静！”但马不肯安静下来，不停地踢腿，后蹄落在牲口棚的墙壁上。

“艾米！”苏拉娅的声音从外面传来。“我管不住桑旦斯了！”

艾米犹豫了。她知道苏拉娅需要帮助，但这匹马怎么办？现在大雨滂沱，从屋顶溅落，地上出现了水洼。她心乱如麻。就算她能接近这匹种马，在没有拖车或马笼头的情况下她又怎能将它带回到赫特兰德马场呢？

“艾米！”苏拉娅的声音变得更高更绝望了。

艾米下定了决心。她从小屋里钻出来，把门关上了。“对不起！”她透过门缝小声说道，用力将门重新拴上。“但我很快就会回来。”

这匹种马发现自己重新回到黑暗中，不由得疯狂地嘶鸣起来。艾米尽量不去听那声音，转身离开了。桑旦斯后腿直立，苏拉娅挣扎着竭力控制它。

艾米跑到朋友身边。她抓过它的缰绳，把它拉了下来。“快，我们得去找人帮忙！”稳住了桑旦斯，艾米翻身坐在马鞍上，两个女孩沿着小路奔驰而去。

等回到赫特兰德马场，艾米和苏拉娅全身都湿透了，她们的马裤都紧贴在腿上，T恤黏在身上。

急促的马蹄声闯进了院子，玛丽恩·弗莱明闻声急忙从马具房走出来。“你们俩在干什么？”看到艾米圆睁的眼睛和苍白的脸，她的语气立马改变了。“发生了什么事？”她焦急地问道。

“马伦家的马！”艾米从桑旦斯身上跳下来，上气不接下气地说道，“那家人走了，但却把它关在房子外面的一个牲口棚里。妈妈！你得去救它。”

“它被抛弃了？”玛丽恩问道。

艾米点了点头。“我们得去把它接回来！”

玛丽恩望着铺天盖地的大雨，“这样的天气，我们不能开拖车出去，艾米！克拉克代尔山上的路又陡又窄，太危险了。”

艾米尽量不去想高高的山脊上那条无法通行的林荫隧道。“但我们不能让那匹马再关一晚上！”她喊道，“那里面没有吃的，没有水，什么都没有！”

“什么都没有？”玛丽恩急促地问道。

艾米摇了摇头。“它吓坏了，妈妈！如果暴风雨来了，它也许会跑出来。”

玛丽恩顿时下定了决心。“好吧，我们去接它。”她果断地说道，声音变得轻快有力。“你们俩把马赶到马厩里去，给那匹种马拿一篮子食物来。我去把拖车开出来。”她迅速离开。“一会儿见。”

“给我！”苏拉娅说着走过去从艾米手里接过桑旦斯的缰绳。“去吧。我去把桑旦斯和茉莉送进马厩里。我就不和你们去了。爸爸很快就过来接我。”艾米迟疑了片刻。“去吧！”苏拉娅敦促道。“你今晚可以给我打电话告诉我事情的经过。”

“好的！谢谢！”艾米喘着粗气，转身去追妈妈。

艾米和妈妈开车驶出赫特兰德马场时，天气更加恶劣了。天空阴霾，透出深灰色。挡风玻璃上的雨刷来回摆动，有节奏地吱吱作响，一刻也不停息。轮胎喧闹着溅起层层水花。

艾米衣服全湿了，打着哆嗦。“你怎么会认为是马伦一家把它留下的，妈妈？”

玛丽恩摇了摇头，她两眼紧盯着地面。“我猜那匹马是偷来的，他们还没有找到买家就吓坏了。也许有警察正在四处打听。”

“我简直不能相信他们就这样抛弃了它！”艾米喊道，“它也许会被活活饿死。”

当把车拐上那条通往克拉克代尔山脉的陡峭蜿蜒的山路时，玛丽恩神色严峻。“像马伦家那样的人是不会关心这种事的。”玛丽恩转过弯道时，换了慢档，齿轮箱发出沉闷的金属声。雨水在马路上已汇成小溪，哗哗流向山下。

不一会儿，她们开进了阴暗的林荫隧道，两旁树木高耸参天。卡车和拖车笨拙地爬过一个又一个弯口。一根树枝“咔嚓”一声断裂了，重重地砸在车顶上。艾米跳了起来。她一点也不喜欢这条黑乎乎的小道。艾米紧紧抓住坐垫，一心想着救那匹种马。

最后她们开进了开阔地。大雨瓢泼而下，击打着挡风玻璃。“我什么也看不见了。”玛丽恩说。

透着模糊的车玻璃，艾米寻找通向农舍的路。“在那儿，妈妈，转过那个弯，就快到了。”

卡车在满是车辙的道路上溅起朵朵水花。玛丽恩在房子前停了下来，跳出车门，继续亮着前灯，好给她们照路。她放下拖车的斜板时，艾米抓起了座位旁的缰绳。

“是哪座房子？”玛丽恩问艾米。

“就是那座。”艾米叫着，声音透过呼啸的大风。她们跌跌撞撞地穿过大雨，跑向牲口棚。玛丽恩拉开门闩，和艾米一起用力推门，让门半开半掩着。艾米朝里看了一眼。那匹栗色马正盯着她们，头抬得高高的，鼓着鼻孔，眼神充满野性。玛丽恩看了它一会儿，转过身来面向大风，从口袋里拿出一个小容器，然后倒出一小撮砂粉，在手上来回搓。

“往后退。”玛丽恩小声地对艾米说。

艾米按妈妈说的做了，只见妈妈从门缝处挤了进去。

马在圈里不安地来回踱着步子，两耳朝后。玛丽恩侧着身子对着它，两眼盯着地面。栗色马警惕地注视着。玛丽恩缓慢地抬起了双手。栗色马的头猛地向后，似乎突然闻到了粉末的味道。它的鼻孔鼓得很开，吸着粗气，耳朵突然竖了起来。

艾米屏住呼吸。粉末是由没有刺激性的栗子碎料和马前脚内侧的角质层做成的。这是一位年长的养马人教给玛丽恩的方法，他说，气味能平静紧张和受惊的马。此刻，在门道里，艾米正紧张地看着所发生的一切。

只见马很谨慎地伸出了头。玛丽恩坚定地站着不动，目光移向别处。她的肢体语言似乎在说“我对你没有威胁”。马向前迈了一步，它一直都在闻粉末的味道。它敏锐的鼻子触到玛丽恩的手，鼻孔鼓得很大。它又向前迈了一步，抬高了头，闻着玛丽恩的头发，缓缓地呼吸着空气。

艾米看见妈妈慢慢地扭转身子，当种马再次吸气时，艾米发现它已不再恐惧。它的肌肉放松下来，低着头，鼻子在玛丽恩的手上蹭来蹭去。玛丽恩抚摸着它。

“把缰绳递给我。” 玛丽恩轻声对艾米说道。

马没有一丝反抗，乖乖地让玛丽恩套上了缰绳。玛丽恩拍了拍它。“好样的，小伙子，到拖车里去吧。”

艾米打开了车门。马温顺地跟着玛丽恩从牲口棚里走了出来，走进了漫天大雨中。艾米轻轻拍着它，它也用鼻口蹭着艾米的手臂。它最初的恐惧感已荡然无存，看起来很友善，眼睛里露出亲切的柔情。

当她们到拖车那里时，艾米站在斜板上，敲着饲料桶。马伸长头和脖子，贪婪地吃了一大口。然后，没有过多地催促，它就走进了拖车里。艾米拿过饲料桶，放在拖车里，让它饱餐一顿。妈妈拴好缰绳，拉好门闩后，从侧门出来，把斜板拖了上去。强风和阵雨一刻也不消停，交叠着袭来。“回家。”玛丽恩边说边检查着门闩，“越快越好。”

母女俩爬回车上时，脸上都淌着雨水。玛丽恩转动车钥匙，发动机重新恢复了活力。艾米打着哆嗦，将头发上的雨水拧出来。玛丽恩打开了暖气设备，那东西发出巨大的声响，似乎在与窗外的雨声一决高低。她们听见雨水肆无忌惮地敲打着后面的拖车篷，种马在不安地来回走动。

外面响起了不祥的隆隆声。几秒钟后，交错的刀叉般的闪电横空劈过，随后雨水又开始瓢泼而下。在驶向陡峭的下坡路时，一阵惊雷在她们头顶炸开了。

马再次陷入了恐慌，用脚猛踢车厢，震动声大得吓人。艾米焦急地看了妈妈一眼。卡车飞快提速开向山脚。玛丽恩聚精会神，小心稳定地踩着刹车，好让拖车能在泥泞的路上平稳下坡。

“简直是疯了，”玛丽恩嘟哝着，“我就不该听你的，艾米。”她紧紧地攥着方向盘，眼神里透着担忧。

雷电交加，刀叉状的闪电径直劈来，伴随着一声惊雷。马蹄踢着拖车车厢，发出巨响，它一次又一次地挣扎着，试图逃出移动的牢房。

不久，林荫隧道又隐约出现在眼前。当她们进去

时，树枝盖住了拖车顶部，猛烈地撞击并刮擦着车顶。艾米浑身肌肉紧绷，心脏剧烈地跳动着，呼吸变得短促。

两旁的树木来回摆动，无情的雨水和大风把树枝压弯了腰。头上是树枝交错的屏障，地下是漆黑一片的道路。这时，一道闪电一闪而过，紧接着，雷声震耳欲聋，听起来像是头顶的大炮轰然引爆。艾米一声尖叫，跳了起来。随着这轰炸般的杂音在隧道里发出阵阵回音，马也发出了尖叫声。

就在正前方，一棵大树开始倒下。

玛丽恩用力踩着刹车，但轮胎在大水漫过的路上打滑。卡车顺着路面往前滑，径直朝前方的大树冲去。

时间仿佛在这一刻静止了。面对眼前的一切，艾米无能为力，只能眼睁睁地看着大树倒向自己，其速度慢得让人毛骨悚然。有那么一刻，她觉得她们就要离开人世，紧接着，伴随着最后一声彻底的咯吱声，大树轰然倒下。

有那么一秒，一切都清晰可见，清晰得吓人，似乎时间也在这一秒戛然而止，艾米看见了每一个小细节，每一片湿叶的叶脉，每一寸绿。“妈妈！”她尖叫道。

只听一声巨响，紧接着是一阵让人恶心的坠落感，之后就什么感觉都没有了。

第四章

艾米睁开了双眼。白的，到处都是白色。她在哪儿?她眨着双眼，目光落在床边的一个身影上。

“卢？”她惊讶地喊道。

“是的，是我。”卢回答道。她跟以前一样——玉米色的头发，剪得短短的，还有那双勿忘我颜色的蓝眼睛，但是她脸色苍白，眼睛很疲倦。

艾米坐了起来。一阵刺痛穿过头顶和胸脯，她吸了一口气。“噢。”她喘着粗气。

卢温柔地把手放在艾米肩上。“小心点儿。”她说道，“动作不要太快。”

“我在哪儿？”艾米迷惑地打量着四周。

“在医院。”卢温和地建议她靠在枕头上。“你已经昏迷了八天。你昨天醒了一小会儿。”她看着艾米，“你还记得吗？”

艾米摇了摇头，目光在屋内来回移动。“妈妈在哪儿？”话一出口，她的眼睛突然睁得好大，记忆立刻恢复了，道路、树木。她盯着卢，“我们撞到树了！”

卢点点头。

“马还好吗？”艾米喘着气问道，忘记了头部和胸口的疼痛，她突然坐直身子，“妈妈呢？”她看见卢低下了头，一阵恐惧袭过全身。“卢？”她大声地问道。看着姐姐半遮掩的脸，她似乎明白了什么，“卢！妈妈呢？”

卢深吸了一口气，与艾米目光交会。“马在斯科特·特里温那里。”说着，她抓起了艾米的手。“它受伤了，但伤势不重，虽然现在情绪不好。”她停了一下，声音颤抖着，紧紧抓着艾米的手指，“但是妈妈……妈妈离

开我们了，艾米。”

艾米脸上血色全无。“不，”她凝视着卢，小声喃喃道，“这不可能是真的。”卢无助地点了点头。艾米抬高了嗓门，“不会的。妈妈不会死！”

“她真的死了！”卢说，艰难地哽咽着，眼睛里盈满了泪水。“她的葬礼是三天前举行的。”

艾米呆呆地凝望着，呼吸变得越来越沉重。

“你昏迷着。”卢绝望地说。“外公和我不知道你什么时候才能醒过来。我们只好把葬礼办了。”她探询着艾米的目光。“噢，艾米，我懂你的感受……”

“不！”艾米突然爆发出一声怒吼，力道之大连她自己都感到难以置信和恐惧。喊叫变成了尖叫。她不能停止，也不想停止。她不停地尖叫着，只依稀感觉到卢朝门口跑去，一名护士匆匆走了进来。她胳膊上一阵刺痛。她的尖叫变成了呜咽，然后睡意袭来，将她拖回到无边的黑暗里。

接下来几天艾米都躺在医院的病床上哭泣，她的心好像都要碎了。她折断了两根肋骨，头一直痛，但是她欢迎身体上的痛苦，无比渴望这能抵挡内心的痛苦。这全是她的错。如果不是她劝妈妈雨天出去，就不会发生事故，那她现在就还活得好好的。妈妈的声音一遍遍地在她耳边回响，“我就不该听你的。”这全是她的错。

外公来看她。“我给你带来了几本杂志，”他说着坐在了她身旁，“你感觉怎么样？”

艾米没有吭声。

“马儿们都很好，”他说，“有泰和我在照顾它们。我想它们都想你了。卢请假回来管理生意上的事。她干得棒极了。她那么努力，很像你们的妈妈。”他哽咽了。“你也像你们的妈妈，宝贝儿。”他把手搭在她的手上。“我真幸运有你们姐妹俩。”

艾米低头盯着白色的病床。

杰克·巴特利特注视着她，眼神难掩悲痛。“振作起来，亲爱的，”外公用一只胳膊搂住了她，将她拉近，

“我们会克服过去的。我们必须克服。你、我，还有卢，至少我们还拥有彼此。”

艾米闭上眼睛，痛苦灼烧着她的大脑。他们怎么能做得来？妈妈死了，是她害死了妈妈。艾米推开外公，脱口而出，“是我的错，外公！”

杰克·巴特利特一脸不解。“你这话什么意思？”

“是我害死了妈妈，”艾米抽噎道，“是我让她下雨天出门的。她不想去。是我劝她去的。”

外公紧紧抓住她的肩膀。“快别这么说了！”他激动地喊道，“艾米，你不能这么想！”

艾米不顾胸部的疼痛，将头从枕头上抬起。“但那是真的！”她喊道，“我对她说我们必须去。”

外公把她拉近，泪流满面。“你妈妈知道危险，但还是选择去，是因为她知道有一匹马需要她。这是她自己的决定，艾米，不是你的。”他紧紧地抱着她。“这不是你的错。”

“是我的错。”痛苦让她的声音变小了，变得嘶哑了。“我永远都不能原谅自己。”

日子一天天过去，她的眼泪流干了，可怕的麻木不知不觉向她袭来。她没有感觉，无法思考。好像发生在她身上的一切都发生在别人身上。外公和卢每天都来看她。泰、苏拉娅和马特也来。但她不愿和他们任何一个人讲话。

有一天，外公和卢一起来了。杰克·巴特利特站在窗边。卢坐在床头边，握着艾米的手。“医生说你该回家了。”卢说。

“回家？”艾米凄凉地说，“我哪里还有家？”

“你当然有。”

艾米注视着卢坚定的面庞，往后倒在了床上，眼眶后面热辣辣的像针一样刺痛。家里没有了妈妈，她怎么能回去呢？她把头扭开了。

外公朝前一步。“我们需要你，艾米。”他轻声说，声音忍不住发抖。“回家吧。”

回到赫特兰德马场比艾米想象中还要难受。当他们把车开上车道时，珀加索斯和科珀从门内向外张望。泰正在水龙头边用水桶接水。一切看起来都很正常。艾米感觉自己的胃剧烈地晃动了一下，有一会儿她觉得自己要吐了。她不顾胸口的剧烈疼痛，推开车门，跑进了农舍里，再也不愿出来。她不想去看马。她坐在厨房里，凝视着地板，沉浸在凄惨的悲痛中，无法自拔。

“你为什么不出来帮我呢？”外公第二天早上说，但艾米蜷缩在安乐椅上，一动不动。

她看出卢努力想搞懂妈妈管理的事务。到处塞满了文件、便笺和卡片，甚至像饲料提供商和马蹄匠的电话号码这些都保存在不同的地方。卢做事务实、效率奇高，好像对任何事情都有一套体系。她自己处理文书工作、打电话，但把马留给了外公和泰照看。艾米坐在厨房里，感觉像被抽空了，没有一点儿希望。

有时候她发现卢朝自己这边看过来。她能感觉到卢眼神里难以掩饰的恼怒，她总是别过头去。艾米知道卢觉得她应该帮忙，但她没有——她只是无法装作什么也没发生过似的走到外面的院子里。

艾米回家三天后，卢向她走过来。卢一直忙得像个陀螺，眼睛看起来很疲惫。“艾米，”她说，“你能不能去跟泰核实一下哪些马要去钉马掌？我得守在电话边。我正在等塔尔卡的主人——鲍勃·肖的电话，他随时都可能会打来。”

艾米摇了摇头。

“求你了，艾米，”卢坚持道，“我正在等一个电话。”

艾米将指甲戳进了掌心里。“我不会去的。”她冷淡地拒绝道。

“噢，看在上帝的份上！”卢喊道，明显生气了。她穿上靴子，匆匆走出门。

几分钟后，电话铃响了。艾米瞪着它。铃声在寂静的厨房里显得格外刺耳，但她的腿好像凝固了，任凭它响个不停。

门突然被推开了，卢冲进来，一把抓起话筒。“你好，赫特兰德马场。”她喘着粗气，从院子里一路跑来让她脸涨得通红。出现了一秒钟的停顿，然后她把话筒猛地摔下了。“他挂了！”她转向艾米，“你为什么不接？”她大声质问道。

杰克·巴特利特这时恰好走了进来。他显然感觉到了空气中剑拔弩张的气氛，他清了清喉咙。“啊，卢，你打电话确认送饲料的事情了吗？”他问道，“饲料快用完了。”

“送饲料！”卢用一只手扒拉着自己的短发，瞪着他，“送什么饲料？”

“我们每三周会让人送一批饲料过来。”

“好吧，为什么都没有人告诉我？”卢愤怒地抬高了嗓门。看到外公脸上吃惊的神情，她的眼神立即变得柔和了。“对不起，外公。我没想要对您凶的，”她飞快地解释道，“我会处理好的，您不必担心。”

“你是个好孩子，卢。”杰克·巴特利特温和地说。

艾米感到喉咙涌起一股涩意。送饲料！马主人！他们俩怎么能像什么都没发生过似的继续生活？她从椅子上站起来，匆忙上楼回卧室去了。一走进卧室，她就瘫倒在地板上一堆乱七八糟的杂志和衣服里，她用胳膊抱住膝盖，开始啜泣。他们这是怎么了？妈妈死了，难道只有她在意?

艾米待在卧室里，直到第二天晌午才下楼。当她走进厨房时，发现外公和卢正坐在餐桌边。看到她进来，两人突然噤声。

“嗨，亲爱的。”外公说着站了起来，“你今天早上怎么样?”

艾米没有吭声。她只是朝一张椅子走去，坐下了。

一阵沉默。艾米看到卢和外公交换了一个眼神，然后卢开口了，“艾米，”她语速很快，“外公和我一直在想，你该去见见你的朋友们了。”

艾米心往下一沉。自从她出院后，苏拉娅和马特以及她的其他校友就一直过来或打电话给她，但她拒绝见他们，也不愿意和他们说话，只想独自待着。

“我不想去。”她说。

“艾米！”卢说，“他们是你的朋友，他们想陪陪你。”她顿了顿，“听我说，今晚我为你准备了一个迟来的生日派对。我们觉得这样你就能同时见到他们所有人了，也就避免了第一次见面的尴尬。”

艾米感觉好像被人揍了一拳。“我已经告诉过你，”她突然站起身，恐惧地喊道，“我不想见他们。”

外公朝她走过来。“稍等，艾米，卢的决定是对的，”他温和地说，“你需要重新开始生活。”

艾米瞪着他。重新开始生活！妈妈死了，她怎么能重新开始?

“我们没有请很多人，”卢说，“就苏拉娅、泰、马特和苏拉娅推荐的其他几个朋友。”

“好吧，取消！”艾米喊道，她的胃部深处有一种可怕的痛苦在膨胀。“我谁都不想见！”

卢气愤地提高了嗓门。“艾米！你不能这样逃避生活！”外公一只手搭在她的胳膊上，她紧咬嘴唇，猛转过身去。

“外公，求你了……”艾米恳求道。

但无论她怎么争辩和恳求，卢和外公都不为所动。他们说这都是为了她好。最后她冲上楼，回了自己卧室，这一天的余下时间都不肯下来。客人七点钟陆续到齐，她还待在卧室里。

外公来敲她的卧室门。“艾米？”他推开门，“下来吧，”他柔声说道，“下楼来吧。”艾米痛苦地摇着头。“求你了，”外公说着伸出了手。“就当是为了我，亲爱的。”

艾米抬头看着他，突然发觉外公看起来非常疲惫。他眼圈向下耷拉着，眉头深锁。她缓慢地握住他的手，站了起来。

他微笑道：“没事的。你等着瞧好了。”

艾米跟着他走下楼，心怦怦跳个不停。她一走进厨房就知道这是个错误。她的朋友们看到她顿时停止了交谈，沉默地围站在房间里，尴尬地抱着包装靓丽的礼物。苏拉娅和马特站在那里，还有马特的朋友丹尼，同班的艾伦和罗宾。泰站在水槽边卢身旁。

空气一时间凝滞了。苏拉娅率先打破了沉默。她朝前走，棕色的眼睛焦急地搜寻着艾米的脸。“嗨。”她说着给了艾米一个拥抱。

当她们分开时，艾米试图挤出一个微笑，但内心里她只想被吞噬，逃跑。

“嘿。”马特走上前来。“你好吗？”艾米抬头看着他那张英俊的脸。他的双眼里充满了关切。

“我给大家倒杯喝的吧？”卢提议，“艾米，你想喝什么？”

“什么都不要。”艾米小声说。

又出现了几秒钟的沉默。“有没有人要喝的？”卢快速问道，“苏拉娅？艾伦？你们想喝什么？”

当她的朋友们小声回答时，艾米的眼睛飘到了餐桌上。

“过来坐，宝贝。”外公说。

艾米像在梦游，她走过去，沉默地看着那一堆礼物。

“大家随便吃。”卢热情地招呼。但大家好像都没有胃口。大家坐下了，热狗和一碗碗薯条一动未动，大家都用担心的眼神看着艾米。

“给你。”马特率先打破了沉默，把礼物递给她，毫无疑问是个包装好的足球。他微笑道：“我敢说你猜不到是什么。”

艾米艰难地吞咽了一下。“谢谢。”艾米边说边从他手里接过礼物，勉强想挤出一丝笑意。

她凝视着手里的礼物。她和苏拉娅曾开玩笑说不知道马特是否会送她生日礼物，这件事真的就发生在三周前吗？感觉像有一辈子那么远了。她垂下双目，不想让大家看到她眼里的泪花。

“给。”泰突然说，似乎感觉到了她的悲痛。他递给她一个扁平的长方形包裹。“接下来打开我的。”幸好有事情可以分散她的注意力，艾米摸索着包装纸。她从里面拿出一张切斯特的装框照片。“噢，泰，我喜欢。”她小声说道，手指紧抓着相框。她抬起头，泰的眼睛正看着她，眼神里充满理解。

艾米逐个打开了其他礼物。全都是她想要的东西——马靴，马裤，骑手手套。只是现在它们似乎再无意义。最后外公递给她最后一份礼物，这份礼物又大又笨重。“是你妈妈送你的，”他说。“她是在你生日那天买的……”他的声音低了下去。

艾米手指还没有碰到它就知道那里面是什么。她的手微微发抖，向后撕开了一道包装纸。里面的蓝色物品立即显露出来，是她渴望已久的防水夹克。这对艾米来说太难忍受了。她感到撕心裂肺的痛，一把推开那个尚未拆开的礼物，转身从房间里跑了出去。

几秒钟后，外公出现在她卧室门口。“对不起。”他走过来坐在她身边的床上，一只胳膊环住了她颤抖的肩膀。“我想我们想错了。这对你来说太快了，是不是？”

泪眼婆娑中，艾米听到有人在门上轻轻敲了一下。她扭头一看，是苏拉娅。

“进来吧。”杰克·巴特利特说。他站起身，看了看苏拉娅，又看了看艾米，然后朝门走去。“我去楼下。”他柔声说，离开了房间。

外公一走，苏拉娅就跑上前来。“噢，艾米，”她坐下来抱住了她。“我太难过了。”她抵住艾米的头，她们黑色和浅棕色的头发缠在一起。“我一直盼着来看你，但你一直拒绝。”她说。“我明天就要去露营了，但如果你想让我留下来，我会陪你的。”

“我只想一个人待着。”艾米抽噎道。

一阵沉默。艾米意识到自己的话听起来有多伤人，她抬起头。苏拉娅正凝望着她，眼里充满同情。“我知道，”她小声说，“换作是我，我感觉也一样。”

接下来她们紧紧抱住了彼此。“我会经常给你写信的。”苏拉娅双眼噙泪。“如果你需要我就给我打电话，我会立即回来。你需要的时候我总在那里，艾米。”

苏拉娅离开房间后，艾米再次啜泣起来。她只能靠自己挺过去。没有人知道她的感受，没有人能理解她，也许除了妈妈，但她已经不在了。

第二天下午，饲料车来了。“希望泰和外公能忙得过来，”卢的声音听上去很着急，“我想去帮一把，但账目已经耽搁很久了。”她瞟了一眼艾米，好像在期待她的反应，但艾米依然顽固地保持沉默。

卢欲言又止。她猛地转身从梳妆台的一个抽屉里拿出一大本明细账和一摞文件，坐在餐桌边。“真不敢相信这些居然没有输入电脑。”她说。

卢飞快地翻看文件，将它们分成好几摊。她似乎很生气，将文件甩在餐桌上，频频盯着门口看，好像在想饲料卸的怎么样了。她紧抿双唇，因为劳累，碧蓝的眼睛下印着深深的黑眼圈。

几分钟过后，卢举起双手。“这根本没办法做！我怎么知道我们欠谁的钱？这根本没有一点头绪，丢了很多发票！”

“它们也许在书架上，”艾米语调平平地说，“也许在安乐椅下。”

“开什么玩笑！”卢怀疑地看着她，但还是站起身，开始在安乐椅下四处翻找。她抽出一摞文件。“真不敢相信！”她喊道，“看看！上面沾满了咖啡污渍。”

“那又怎样？”艾米问道。

“那又怎样！”卢回应道。“脏死了！我再没见过比这更糟糕的账本了。”她分贝提高了。“妈妈太不现实了。她怎么留下这么个烂摊子？”

艾米被感情冲昏了头脑。她跳起来，两眼喷火。“因为她不知道自己会死！”愤怒、痛苦、自责像火山一样爆发了。“妈妈死了！”她尖叫道，“你难道不明白？她死了，而你担心的却是这些愚蠢的文书工作！你一点都不在意——是不是？你从来就没在意过！”

卢一拳打在餐桌上，站了起来。她面色苍白。“你怎么能这么说？”她喘着粗气，声音发抖。“你是否想过，对我来说，努力将妈妈的事业继续下去有多艰难？你太自私了，艾米！”艾米试图打断，但卢不给她机会。“你就是自私！”她喊道。“你没有想过外公、泰或其他的任何人，你唯一想到的只有可怜的艾米·弗莱明。你只会自怜自艾，整日闲晃。好吧，这么晃来晃去不会让妈妈起死回生，我只能告诉你一点：如果妈妈现在在这里，死的人是你，她会出去照看那些马！你说我不在乎。好吧，瞧瞧你自己，艾米！瞧瞧你自己！”

她们愤怒地盯着彼此。艾米感到自己脸上血色全无。卢突然变得慌张起来。“艾米……”她说着飞快地跑上前。“艾米，我实在……”

“别管我！”艾米生气地小声说道，闪开了。

“请试着理解……”卢恳求道。

“你试着去理解吧！”艾米吼道。“让我一个人待着！”她转身跑出厨房，上楼跑到自己的卧室里，甩上门，倒在床上，尽情悲痛。

卢上来了，轻声敲门。过了一会儿，外公也上来了，但艾米拒绝让任何人进来。“噢，妈妈，”她哭得无比伤心。“妈妈！你为什么不在这里？”

艾米醒来的时候天刚蒙蒙亮。她双眼酸痛，脸因泪水浸泡而变得粗糙。她站起身，朝窗外望去。万籁俱寂。她感到内心空虚，前面的人生黯淡无望。再没有人能理解她。没有人能取代妈妈的位置。

她注意到珀加索斯在马厩门那儿探头探脑。看到那颗灰色的大脑袋和半竖的耳朵，艾米的心猛地一跳——它在观望，等待。突然，她感到腹部像被人猛击了一下。是啊——为什么先前没有想到它呢？

她走下楼，轻轻地打开后门，匆匆穿过院子。珀加索斯看到她立即竖起耳朵，开心地喷着鼻息。她拉开珀加索斯马厩门上的闩，走了进去。马厩里熟悉的温暖包围了她。珀加索斯询问似的低下头，呼吸里满是爱和信任。

她张开怀抱，抱住它的脖子。“噢，珀加索斯！”她

绝望地说，“我该怎么办？”

珀加索斯的脖子温暖而厚实。它的鬃毛刮擦着她的脸。“我们失去了她，”艾米喃喃道，她的声音嘶哑了。“一切都变了，再也不可能回到从前。现在只剩下你和我了。”

珀加索斯轻轻地喷着鼻息。

“只剩下你和我了。”当艾米痛苦地重复这句话时，她想起了她和妈妈在一起做过的一切，也想起她们对彼此有多重要。她从珀加索斯的陪伴中寻找着安慰，想起了卢的话。卢说得对吗？她真的自私吗？

她的手开始漫不经心地在珀加索斯的脖子上抚摸。打着小圈，轻轻用力，就像妈妈做给她看的一样。珀加索斯喜欢这样。艾米感到它在她的抚摸下变得放松了，不由得笑了，随着她的手继续移动，她感到自己的紧张也得到了释放，内心变得平静。

时间在不知不觉中过去。太阳升起来了，她听到外公的老式闹钟在房子里响起。艾米亲了亲珀加索斯的鼻子，从它宽松的马厩里溜了出来，趁人不注意匆匆回到自己的房间。

她躺在床上，感觉平静多了。天开始下起雨来。她听到外公和卢起床的声音，听到饲料桶的哐当声和马蹄的踢踏声。她走到窗边，站在窗帘旁，看到外公开始喂马，泰也到了。这天很沉闷，乌云滚滚，天空飘着毛毛细雨。楼下，卢正在准备早餐。

寻常的一天开始了。

几分钟后，艾米看到卢出来了，她走过去和外公聊着什么。艾米慢慢转身走出房间，从蜿蜒的楼梯走下来。她走到大厅时停了下来。有人将妈妈送给她的生日礼物放在桌子上。包装没拆，上面还放着生日贺卡。艾米艰难地吞咽着，慢慢朝它走去。

艾米顿了顿才伸出颤抖的手去拿那张卡片。

就在此时，厨房的电话铃发出刺耳的声响。艾米跳起来，猛地转身。她该接吗？她正打算去厨房，这时听到后门开了，她忍住了。

“你好，赫特兰德马场。”她听到泰用欢快的声音说道。出现了短暂的沉默，当泰再次开口时他的语气完全变了。“是的……我知道那个地方，”他语速很快，语气严肃，“好的。我们会尽快赶到。”然后是话筒挂上的声音，后门开了。“杰克，”他喊道，“你最好来一下！”

艾米在大厅里犹豫不决。发生了什么事？她听到奔跑的脚步声，卢和外公进了房子。“发生了什么事，泰？”她听到外公问道。

“是警察！”泰喊道，“他们去了贝尔夫人的房子。他们闯进去发现她在里面，”他顿了顿，“已经死了好几个星期了。”

死了！艾米飞快地用手捂住了嘴。

“噢，不！”她听到卢倒抽一口冷气。“这太可怕了！”

“埃里克今早去那里送信时报的警，”泰飞快地继续说道，“他休了两周假，没有其他人去过那一带。”

“平常艾米会去那儿，”外公叹息道，“天哪——真可怕。”

“还有更糟的，”泰严肃地说，“不光为贝尔夫人。警察打电话来还因为萨加富。”

艾米的心猛地一跳。萨加富！

“那匹设得兰小马驹？”外公问道。

“是的。它被关在马厩里，”泰说，“没有吃的，只有一点儿水。警察说发现它时它状态非常糟糕，饿得快不行了，惊恐万分。他们已经给斯科特·特里温打过电话了，但他们想知道我们能不能派个人过去和他会合。”

艾米感到胸膛涌起震颤的酸涩。噢，可怜的小萨加富！她为那匹小马驹感到心痛——它孤零零的，饥肠辘辘，担惊受怕……

“你会去吗？”她听到外公对泰说。

“当然，”泰说，“萨加富不认识我，但我想那也没办法。”

“我送你过去。”卢说。

艾米很难想象，当泰——一个萨加富不认识、也不信任的人，试图把它拉进拖车里，把它从它唯一知道的家带走会是什么感受。她的心开始飞快跳动。她绝望地环视着大厅，眼睛再次落在那份礼物上。妈妈，妈妈，你会怎么做？想到这里，她不假思索地拿起那张贺卡读起来：

致我亲爱的艾米，

坚持相信直觉，我们将能一起实现梦想。

生日快乐！

爱你，拥抱你，妈妈。

这些话像榔头一样沉重地击中了艾米。“一起”。想起和妈妈共同的梦想，想起她们制订的计划，她的泪水喷涌而出。

“我想我最好现在就动身。”她听到泰在厨房里说。

艾米突然知道自己该怎么做了。她飞快地拆开外套外面的包装纸，将外套穿上，把卡片放在桌子上。艾米抚摸着它，咽下了泪水。“我这么做是为了你，妈妈，”她小声说道，“为了我们的梦想。”

当艾米出现在厨房门口时，外公、卢和泰都轻轻跳了起来。她举起一只手让他们什么都别说。

“我去。”她说。

第五章

卢和艾米绕过房子，走到小汽车和拖车停放的地方。两人都没有开口。她们昨天说过的狠话像一堵无形的墙横隔在两人中间。卢不理艾米，穿着露趾鞋在潮湿的青草里小心翼翼地择路走，车门打开了。艾米突然顿住了。卡车的一侧明显刚刚修理过。

卢回头一看。“我们要……”她顺着艾米的视线看过去，声音越来越小。“噢，”她的脸色立即变得柔和了。“对不起，我没想到这个。”她关上卡车门，把车钥匙装到了口袋里。“听我说，你不必跟去。”她说，“我相信泰能做得来。”

艾米吞了口口水，摇了摇头。她把手伸进外套口袋更深处。“不，”她说，“我必须去帮助萨加富。”

她慢慢走近卡车，坐了上去，心如擂鼓。卢紧张地看着她，发动了引擎。

卡车在车道上行驶，每颠簸一次，艾米就会想起那天发生事故时的情景。刮雨器在挡风玻璃上来回摇动，她紧紧抓住座位，强迫自己去想萨加富。

当卡车开出车道时，卢尴尬地开口了。“关于昨天的事我非常抱歉，”她说，“我不该对你说那些话。”

艾米盯着放在膝盖上的手：“没关系。”

沉默压得人喘不过气来。她们之间说过的那些伤人的话无法收回。她现在虽能安慰卢，她们相隔的距离虽只有一个座位宽，但内心却像隔着浩渺的大海。接下来的路程，除了艾米小声指方向外，两人都默默无言。

“马厩在哪儿？”卢把拖车停在贝尔夫人的房子外面时问道。

艾米拉开车门。“在后面！”她说着跳下车，走进了蒙蒙细雨中，绕着房子向后走，朝通往牲口棚的小路跑去，她闻到一股刺鼻的大小便的气味。快到半截门时，她犹豫了一会儿：门里面会是什么景象？

艾米咬紧嘴唇，向前走去。

“噢，萨加富！”艾米恐惧地呢喃了一声。那匹设得兰小马驹站在地板中央，头垂到地上，肋骨突出，双侧凹陷，皮毛上覆盖着一团团泥巴。马厩里臭不可闻。

艾米用颤抖的手指拔去门闩，把门拉开了。小马驹的栗色耳朵立即竖起，费了好大劲才把头抬起来。它呆滞的双眼锁定在艾米身上，眼神里闪过一丝亮光，它认出了她，嘶哑地叫了一声。艾米不管那些脏东西，蹲在它身边，手往上伸，轻轻地抚摸着它的头和脖子。小马驹微微动了动耳朵，好像是在表示感谢。

艾米不敢相信萨加富会变成这副模样。

“艾米？”卢在菜园里喊她。

艾米站起身，走到马厩门边。“到这里来！”

卢小心翼翼地走过杂草丛生的小径。“我是先把拖车开过来你把它弄上去还是……”当她看到萨加富时突然停住了。她盯着那匹消瘦的马，猛吸了一口气。“噢，不！”卢走近了，两人沉默了半晌。“这太可怕了！”卢最终倒抽了一口冷气，眼泪盈满了眼眶。

这时菜园尽头传来一声喊叫。“艾米——你在里面吗？”艾米和卢立即转身。

“斯科特！”艾米看到斯科特·特里温高大的身影大踏步从菜园那边朝她们走来。斯科特在她面前停下，低头看着她，眼里充满关切。“你怎么样？”

“很好。”艾米不理他的询问。她想把个人问题先搁置一旁，赶紧处理手头上的事情要紧。“我们要担心的是萨加富。”她闪开让他看马厩里面，这时她突然意识到卢还站在那里，于是赶紧给二人做介绍。“噢，这是我姐姐卢。”

斯科特和卢都认出了对方。“我们之前见过。”斯科特说。

艾米突然意识到斯科特还在照看她和妈妈那天晚上去克拉克代尔山脉用拖车接回的那匹种马。卢和斯科特之前当然见过面，他肯定去参加过妈妈的葬礼。她驱赶着这个念头。这不是她此刻该想的事。

斯科特走进马厩，环顾四周。“好吧，我们想办法把它弄出来。艾米，你准备好在萨加富身体一侧帮一把，轻声鼓励它移动。记住它身体非常虚弱。”

艾米和斯科特站在这匹小马驹脑袋两侧，鼓励它向前。小马驹痛苦地一步一步慢慢走出了马厩。卢看了一会儿，或许是更长时间，然后消失在菜园的那条路上。艾米没有注意到她离开，她全部的注意力都集中在萨加富身上。

“好吧。”他们把它弄到外面的草地上时，斯科特说，“让我来检查检查。”他用手轻柔地抚摸着这匹小马驹的身体，测量了一下它的脉搏和心跳。

艾米抚摸着萨加富的小耳朵来安抚它。斯科特检查它的整个过程中，这匹小马驹都站立不动，笔直地望着前方。它好像对周围茂盛的野草丝毫不感兴趣，艾米暗暗心惊。

斯科特再次看了看马厩里面。“好吧，它有水喝，”说着他指了指屋檐边的一根水管，水滴进马厩的一个木桶里。“如果不是因为……”他摇了摇头。

艾米知道他什么意思。在炎热的夏天，没有水，马活不了几天。“我想我们最好把它接到赫特兰德马场，看看你们能为它做点儿什么。就目前来看它没有其他问题的迹象。只要我们能让它吃东西，它活下来的可能性很大。”

“我会让它吃东西的。”艾米抚摸着萨加富的头，自信地说。她要让它重新好起来。

“好的。”斯科特微笑着，“我们把它弄到拖车上去吧。”

卢正在等他们。她放低斜板，看着艾米和斯科特试着哄这匹设得兰小马驹上后面的车厢。

萨加富尝试性地走了几步，犹豫不决。只有在艾米拉马笼头，斯科特在后面鼓励它前进时它才动一动。

“你能想点儿办法吗？”当这匹小马驹在往里走最后一段路时，卢焦急地问斯科特。

“嗯，除了营养不良，它看起来没有其他问题。”斯科特回答道，从斜板上走了下来。他语气十分冷淡，“把它留给艾米吧，她知道怎么做。”

艾米把斜板往里收时皱了皱眉。这么不苟言笑可不像斯科特。她插紧插销时，斯科特转过身来面向她：“如果有什么担心的，给我打电话，好吗？”他说这话的样子才更像正常的他。“另外，我明早会再过去看看。”

艾米点了点头：“好的，那明天见。”

“好的，明天见。”斯科特朝卢略一点头，大步流星朝自己的车走去。

当他们回到赫特兰德马场时，艾米发现泰已经在后排牲口棚的一个马厩里铺好了一张厚厚的麦秸床，她松了口气。泰用一贯的耐心协助艾米帮萨加富走下斜板，进了马厩。这匹设得兰小马驹一走进去就立即躺下了，它鼻子靠在麦秸上，双眼半闭。

“看起来该给它吃点儿饲料。”泰说，眼睛打量着萨加富突出的肋骨。他话虽说得随意，但神情里的关切暴露了他的担忧。

艾米点了点头：“我去给它拿份米糠饲料，让它打起精神。有没有泡好的甜菜浆？”

泰点头示意有：“在饲料房里。我去拿些干草来。”

艾米冲泰感激地一笑。“谢谢你，泰。”幸好他没有哼小曲儿在她身边手舞足蹈，只是直接走出马厩进了院子，这让她如释重负。他似乎明白了事态的重要性，立即把注意力集中到恢复萨加富的体力上。

艾米走进饲料室，装了一桶糠，把水壶放在炉子上。等水烧开那会儿剁碎了几根胡萝卜，掺了一铲子甜菜浆和一把大麦，放进米糠里。艾米知道像萨加富这样的状况不能给它喂食过饱。这么久没有吃东西，它的胃一下子接受不了大量食物，要慢慢地、逐步稳定增加食物量。

艾米走到房间角落里的书架旁。架子上放着介绍药草疗法、干草药、花粉、软膏和香薰精油的书籍。这些对艾米来说是如此熟悉。玛丽恩把自己知道的所有自然疗法都仔细教给过艾米。

艾米不去理会喉咙里升起的哽咽，开始查阅妈妈的笔记本。她往饲料里又加了香豆籽，它更能调动那匹小马的胃口，她又加了些蒜粉来帮助消化，还加了一把富有维生素的玫瑰果壳。

饲料终于配好了，艾米把它提到萨加富的马厩，放在地板上萨加富的鼻子旁边。看到她走进来，萨加富稍稍抬起了头。“来吃吧，小伙子。”艾米说着蹲在萨加富身旁，抚摸着它的脖子。

萨加富凑到桶里嗅了嗅，把头扭开了。

“来吧，萨加富。”艾米很吃惊萨加富还需要人鼓励。很少有马会拒绝米糠饲料。艾米抓起一把食物，拿到那匹小马驹嘴边。萨加富在她手边喷着鼻息，吃了一块胡萝卜。她又去抓了一把。萨加富又吃了一点，但吃完第三把后萨加富再次扭开了头。

艾米坐回来，感到迷惑不解。也许萨加富刚刚经过长途跋涉，太快给它喂吃的了，它需要更多时间来适应新环境。她将桶留在它身边，拿来一个梳洗水桶，坐在它旁边的麦秸上，非常轻柔地开始给它梳理毛皮，解它打结的马鬃和尾巴。

到了晚上，萨加富的形象有所改观，但它依然只吃了几把食物。艾米开始感到担心。

“还是老样子？”泰下班前把头伸到马厩门上问道。艾米摇了摇头。

“我想它需要安心地睡个好觉。”泰说。

“我想也是。”艾米站起身，看着这匹小马驹。它把脑袋靠在麦秸上，双眼半闭着。但如果它明天还是不肯吃东西该怎么办呢？

第六章

第二天早上艾米醒得比往常早。她一睁开眼睛就想起萨加富。它今天会怎样？揭开被子，艾米一跃而起，匆匆穿好衣服跑下楼，走到外面的院子里。她经过时马儿们都竖起耳朵，嘶鸣着跟她打招呼。

但萨加富依然躺在马厩里，腿蜷缩在身下，比昨天显得更瘦了。艾米拉下门闩。当她看到食物和干草原封未动时心陡然一沉。很显然，它的胃口还是没有恢复。

艾米跪倒在它身边。萨加富眼睛朝她瞟了半晌，木然地垂下来。艾米轻轻抚摸着它的鬃毛，将它厚密的淡黄色的额毛从它眼睛上拨开。萨加富叹了一口气，将鼻口放在她膝盖上。她开始用手指轻轻地按摩它的耳朵，打着小小的圈，像羽毛一样轻柔，向上一直摸到耳朵尖儿。艾米全心投入在工作中，全然没有听到有脚步声朝马厩走来。

“嗨。”

艾米吓了一跳。卢站在马厩门另一边往里看。

艾米吃惊地睁大了灰色的眼睛。“卢！”卢以前从未进过牲口棚。

卢叹了口气。

“我睡不着，”她说，“我看到你从房子里出来进了这里。”她看着萨加富，“它怎么样了？”

“还是不肯吃东西。”艾米说，尽量掩饰自己的惊讶。

卢蹙起了眉头。“为什么？它一定饿极了。”

艾米知道卢的反应很正常，她努力解释给她听。

“有时候，马受惊了也会不吃东西。萨加富受到了精神创伤。它不知道自己为什么会被锁在马厩里那么久，为什么又会被送到这里来。它唯一真正懂得的是和贝尔夫人在一起的生活。贝尔夫人像宠物一样待它，经常跟它讲话，让它到房子里去。现在贝尔夫人去世了，我想它唯一真正意识到的只有这个。”

“这个可怜的小东西无家可归了。”卢温柔地说。她看了萨加富一会儿，接着把眼光转到艾米身上，眼神里流露出钦佩之情。“你很懂，对不对，艾米？”

“妈妈教我的。”艾米说。她艰难地吞咽了一口，竭力抗拒那突如其来的情感，她差点儿就要被那情感湮没了。她长久地沉浸在自己的思绪里。

“它能好起来的，对不对？”卢最终打破了沉默。

艾米看着那匹设得兰小马驹。她多么希望它能，但她同时无法否认盘踞在她内心最深处的角落里的不祥之感。

卢看出她的迟疑，马上明白了。“马为什么总要带来这么多的心痛？”她苦涩地说，从门边往后退。

“不总是如此。”艾米说，飞快地瞟了她一眼。“大部分时间里它们给了它们爱的人许多。”

“好吧，但它们带走的更多。”卢冷淡地回答道，走开了。

卢永远都不会明白，艾米想。她摇了摇头，重新开始按摩萨加富的耳朵。

六点钟时，艾米离开了那匹小马驹，开始去为马准备早餐。她在萨加富的米糠拌料表层加了一把干薄荷，希望能诱惑它吃东西，但她刚把桶往萨加富的马厩里一放，萨加富就立即别过头去。艾米叹了口气，喂完了其他马。她得试下其他办法。

给水桶加满水，陪了桑旦斯一会儿后，她回屋吃早餐去了，桑旦斯每次见到她都会疯狂地嘶鸣。卢正在打电话。外公坐在餐桌边喝咖啡。艾米在门口踢掉运动鞋，一边穿着袜子从地板上走过去，一边谈起萨加富的情况。

卢把手掩在话筒上。“你能不能安静点儿？”她轻声说，“我在打电话！”

“是卡尔。”外公朝艾米眨了眨眼。

“噢。”艾米无动于衷地说，给自己倒了杯橙汁，坐下了。

“是的，我知道。”只听卢在说，“我也想你。”

艾米对着外公拉长了脸。外公朝她皱了皱眉，但她能看到外公眼睛里闪动的光彩。她猜外公和她一样对卡尔无甚好感。

“我知道。这很难，”卢说，她在电话里顿了顿，“是的，很快。我保证。”她扭头往后看，看到了艾米，接着转开了目光。“听我说，我现在不能再聊了。但我保证不会太久的。”她又顿了顿，温柔地说，“好的，我也是。拜拜。”她把电话放下，眼神落在艾米扔在她前面地板上的运动鞋上。“艾米，你非得把东西到处乱扔，让别人来捡吗？”

“我一会儿还要出去。”艾米反驳道。

“卡尔怎么样了？”卢恼火地拎开艾米那双运动鞋时，外公问道。

“他很好，谢谢。”她微笑着说，“他很想知道我什么时候回去。”

“回去？”艾米重复道，她正要喝橙汁，杯子停在了嘴边。

“是的，”卢皱起眉头，“你不会以为我会留下来吧？我的生活在曼哈顿。那里有我的工作，卡尔，还有我的公寓。”

艾米不知道该说什么。她真没有过多想过这个问题。她一直都以为卢将和他们在一起。

卢显然看到了她脸上的神情，眼神变得柔和了。“别担心。我不会就这么丢下你们不管的，”她说，“所有的文件材料还是由我来处理——我可以晚上做。我会为这里制订出一套方案。”她抄起双臂。“你和外公将来要更实际些。”

“实际？”艾米飞快地看了外公一眼，反问道。她有种不祥的预感，她不会喜欢卢的计划。

“是的，实际。”卢坚定地说道，她收起餐桌上的盘碟，拿到水槽里。“我们得改变这里的做法。”她在窗户边停下。“车道上有车开过来了。我想是你的朋友马特。”

艾米立即将卢的“实际”计划抛诸脑后，吃惊地匆匆跑到窗边。卢说得没错，真是马特！艾米忘记了早餐，从后门出去。

看到艾米，马特挥了挥手。“嘿，很难得呀！”他喊道。

“马特！”艾米喊道。自从她的生日派对不欢而散后她就再也没有见到过她的朋友。“你怎么样？”

马特一路小跑过来。“我过来看看你。我想你能接受我这个伙伴。”他声音柔和，看着她时两眼充满关切。“你好吗？”

“好。”艾米飞快地说。有一会儿她觉得马特会拥抱她。她急忙开始跟他讲萨加富的事。

“我听说了。斯科特告诉我了。”马特说，“我能看看它吗？”

“当然。它在后门的牲口棚里。”艾米说。

马特跟着她朝那匹设得兰小马驹的马厩走去。当看到那匹瘦骨嶙峋的小马驹时，他轻声吹了声口哨。“它很不好。”

“我一直在想办法让它吃东西，但它就是不肯，”艾米解释道，“我想我得再去翻翻妈妈的书了。”

艾米从马具房的书架上拿下一叠书，说：“我想试试苦艾。书上说它有开胃的作用，我们往药草里加些吧。”

“嗯，如果你想去摘些回来，那我来翻书，看看还有没有其他有用的办法。”马特说着翻开了第一本。

“你确定？”艾米问。

“当然。”马特说着飞快地翻动起来。“我喜欢这类书，非传统疗法很棒。”他看着艾米，咧嘴笑了。“无论如何，我想帮你。”

等到艾米回来的时候，马特已经做了一页的笔记。“有好几种不同的开胃方法，”他对艾米说，“但苦艾冲剂似乎是最有效的。”

“那就希望能起作用吧。”艾米说着把水壶灌满水，撕碎了一把苦艾叶，水一烧开就把它们放进一个碗里泡着。浸泡十五分钟后艾米把水端到牲口棚。

他们进来时萨加富甚至连头都没抬。艾米跪倒在它身旁的麦秸上，但无论他们怎么哄它就是不肯喝。

“哪怕是喝一点也好。”艾米说，“来吧，萨加富。”但那匹小马驹躺在地上一动不动。它丝毫没有兴趣。

“我们可以用注射器往它嘴里挤。”马特建议道。

艾米摇了摇头。“如果它不吃，那就是在告诉我们那不是它需要的。”

马特蹙眉看着她。“但如果这能帮到它，你就应该试着让它服下一些。”

艾米摇了摇头。

“你得相信马，聆听它的心声。”这些话卡在她喉咙里。她几乎能想象妈妈就站在那里，对她说着同样的话。

“聆听马的心声，”艾米回忆起妈妈曾用温柔的声音对她说，“它们知道自己需要什么。”马特一脸困惑，看得出他无法理解。

“来吧。”她挣扎着站起身。“我们去找其他方法试试。”

但无论他们尝试了多少种草药治疗方法，萨加富只是别开头去。艾米从未见过像这样什么都不肯吃的马。她感到越来越气馁。他们一定能做点什么。

就在午餐前，斯科特赶到了。他只看了一眼满桶未动的饲料就知道情况如何。“这么说它到现在什么都没吃？”他问艾米和马特。

艾米摇了摇头，把自己试过的草药讲给他听。“它什么都不肯吃，”她说，“我们该怎么办，斯科特？”

斯科特轻轻抚摸着萨加富的脖子。“我想也只能坚持尝试了。”他眼神严峻。“如果想让它好起来就必须让它吃东西，否则它的免疫力会下降。那很快我们将要面对接下来的问题——肺炎和呼吸道感染。”他站起身，拂去身上的麦秸。“出来吧，让它休息休息。”

“你想喝点儿什么吗？”他们穿过院子时艾米问道。

斯科特点了点头：“谢谢。”

他们走进房子。艾米把运动衫扔在门边。“可乐行吗？”她说着向冰箱走去。

“行。”马特说。

“当然。”斯科特看到桌上摆满了一堆堆整齐的表格和档案。“看样子有人忙坏了。”

艾米给斯科特和马特各递了一罐可乐，自己也开了一罐。“坐吧。”她提议，同时用胳膊将文件推到一边，这时卢刚好走进厨房。

“小心那些文件！”她喊道，“那些可都有用。”艾米已经将她那罐可乐放在了一叠纸上，罐子底部在纸上浸出一圈发散的湿印。“艾米！”卢一把抓起罐子喊道，“这些文件很重要！”她看到艾米的运动衫。“你非得把衣服丢在地板中央吗？”

“抱歉。”艾米说。

卢叹了口气。“我希望卡尔过来的时候你能讲点儿卫生。”

“卡尔！”艾米喊道，“他要到这里来？”

“是的。我们今早商量好了，他两周内过来。”

“噢，好极了。”艾米小声嘟囔道。

卢不理她，转向还站在冰箱旁边的斯科特。“嗨，”她开心地说，“你好吗，斯科特？”

“很好，谢谢。”斯科特回答道，声音绷得紧紧的。

“也许你能帮帮我。我正绞尽脑汁不知道带卡尔去哪家酒店比较像样。我是说，如果在曼哈顿这不成问题。”她哈哈大笑。“那里经常有应酬。但这儿，我不知道去哪里才好！”她看着斯科特，“能不能帮我推荐个地方？”

“我真没有什么可推荐的。”斯科特声音冰冷，“我没有什么时间出去吃饭。”艾米吃惊地看着他。斯科特通常都很热情、友好，但现在他看起来格外冷淡。

“噢，好吧。”卢说，看起来颇为吃惊。“好吧。我去查查指南书或问问外公。”

斯科特转向艾米。“噢，好吧，我得走了。明天我会再过来。”他看着马特。“你是要和我一起走还是留在这里？”

“我跟你一起走，”马特说，“我对爸爸承诺过今天下午要在菜园里帮他。”他看着艾米，“但我很快会再过来的，行吗？”

“行。”艾米笑道。

斯科特朝卢略一点头便大踏步走出门朝汽车走去，马特跟在他身后。艾米皱着眉头站在门口目送他们上车。斯科特这是怎么了？一直以来他都对卢那么冷淡，甚至到了粗鲁的地步。这一点儿都不像他。她耸了耸肩，回到屋内。也许他觉得很难和不像他那样喜欢和理解马的人交流。

艾米给自己做了一份三明治，重新朝院子走去，边走边吃。要做的事情实在太多——马厩需要打扫，马要梳洗，这不过是刚开始。还需要给马做训练，有些需要在训练场上进行。桑旦斯看她回到了院子，高兴地跑到栅栏边。艾米停下来拿三明治碎屑喂珀加索斯，她第一次开始想，想自己、外公和泰如何能应付得了照看一院子马所要干的活儿。谢天谢地，她有个长长的暑假可以专门待在赫特兰德马场。

那些被送过来治疗行为问题的代养马在她妈妈出事后都被送回去了，但还剩下了八匹马和七匹小马驹需要人照料。如果想让它们成功回家，还有许多重要工作要做。

艾米拍着珀加索斯。该怎么办呢?

她做了个决定。唯一的办法只有把更多的马整日放养在牧场上，而不是把它们关在牲口棚里。这样一来，需要打理牲口棚的时间会减少，她和泰就能花更多时间去关心那些需要帮助的马了。可一旦她秋天回去上学后会是什么情况呢?冬天到来后天气太冷，不适合将马整日放养，到时候又该怎么办呢?他们需要另外找人来帮忙，但他们再也雇不起帮手了。要是卢能留下来就好了。

“我们能做到的。”艾米大声地自言自语。毕竟他们过去都做到了。以前也有过困难的时候，但最终都克服了。

她最后拍了拍珀加索斯，去找泰了。

他正在牲口棚里装干草兜。艾米把想让更多马放在围场里放养的想法告诉了他。

“嗯，这是个好主意，”泰停下来，环起了双臂。“我们的确需要采取措施减少我们的工作量。你觉得把哪些放出去好？”

“我想杰克、穆奇……”她的话被电话铃声打断了。“我去接！”她跑过院子，冲进了厨房。卢和外公一起外出去买食杂了。

“赫特兰德马场。”她上气不接下气地说。

“嗨，”电话那头是个男人的声音，“我叫尼克·哈利维尔。我打电话来是因为我的一匹马，我希望你能帮忙……”

十分钟后，艾米回到了牲口棚。泰已经装完了干草兜，正在打扫掉在地上的干草。

“是个有意思的人吗？”他身子倚靠在扫把上问道。

“嗯……是的。”她低头看着自己的双手。“一个男人要送匹马过来。”

“要我们援救？”

“不，那匹马不肯上拖车。”

“噢，”泰重新开始打扫，“你有没有给他推荐其他人？比如山脊路农场。那里虽然有点儿远，但还不错。”他看着她，她没吭声。“艾米，你该不会……”

她非常羞涩地点了点头。“我说让他把马送到我们这儿来。”

第七章

艾米没花多长时间就说服泰接受了这个决定。“不需要做很多工作，只不过是让马上拖车而已。马主人的声音听起来真的很绝望——我不忍心拒绝他。再说了，这也能赚些钱。”

泰叹了口气，顺从了她。“好吧，我想你是对的。”他再次拿起扫帚，扫完了剩下的干草。“那这匹马多大了？”

“五岁。是个障碍赛选手。它的主人看了《马生活》上的报道。我把妈妈不幸遇难的事告诉了他，但他还是坚持想让我们试一试。”她的声音颤抖了，看着泰。

“那它什么时候过来？”泰急促地问道。

“明天。”

“明天！”

“我得去准备一间马厩了。”艾米说。

艾米往地上抖新鲜干草，有一会儿，她在想不知自己是否做了一个正确的决定。是的，她确定自己是对的——赫特兰德马场需要尽可能多的付费马，当她答应时那个男人的声音听起来感激不尽。“它是一匹很特别的马。”电话那头的那个人告诉她。艾米偷偷笑了。每个人都认为自己的马是世界上最特别的。但她还是很喜欢他的声音。她这次要凭直觉行事。毫无疑问，对尼克·哈利维尔说好感觉是对的。

一直等到晚饭时间她才把这个消息告诉了卢和外公。“明天会有一匹新马过来。”他们围坐在餐桌边时她说。

“新马？”外公问道。

“是的。它的主人今天打来电话，说它不肯进拖车，问我们是否能帮忙。”艾米顿了顿，“我答应了。”她看着他们俩。外公又好气又好笑地摇着头，而卢则瞪着她，好像她长了两个脑袋。

“你告诉他说我们还能再接收一匹马？”她喊道，好像艾米刚说的是自己会飞。

艾米点了点头。“我们急需用钱，这个问题很好解决。”

“但是艾米，涉及的时间和工作呢？”卢难以置信地举起双手，声音也高起来。“我们已经有十五匹马没有得到应有的照顾了。泰忙得手脚朝天，这些天外公都没时间休息！”

“我们会克服的，”艾米感觉很乐观。“不管怎样，我们总要在某个时候开始重新接收新马。”

“不，我们不要！”卢喊道。艾米瞪着她。她的脸因激动变得通红。“艾米！赫特兰德马场不能像以前那样继续。我真吃惊你没有看出这一点！情况得改变……”

“卢。”杰克·巴特利特警告似的打断了她。

卢转身。“我们必须告诉她，外公。”

“什么？”艾米好奇地把目光从一个人身上转到另一个人身上。她看到他们交换了一个眼神，她开始心跳加速。“告诉我？”她的声音提高了。“你们俩在说什么？”

卢瞟了一眼她们的外公。他轻轻点了一点头，像是允许她说出来。“我今早就告诉过你，我正在制订一些计划。”卢对艾米说。“我今天下午和外公商量过了。没有妈妈，赫特兰德马场不能像之前那样继续。”

“为什么不能？”艾米质问道。

“时间，艾米。时间、钱和人力。你、外公和泰，仅凭你们三个人是不可能照看得了所有这些马的。”

“我们能！”就算硬着头皮说出这句话，艾米也知道卢说得没错，但她下定决心要维护自己的立场。她不能忍受更多的改变。“好吧，只要你留下来就行。”

卢皱起眉头。“我告诉过你，我的生活在纽约，不在这里。无论如何，艾米，这也和资金有关。我们的大部分收入都来自妈妈治愈的那些有问题的马。没有她，收入链就断了。人们不会再把马送到这里来了。”

“他们会的！”艾米喊道，“明天要来的这位是怎么说的？”

“这是一次性的。面对现实吧，人们把马送来是因为妈妈。”

“你想说什么？”艾米难以置信地看着她。“我们要关闭赫特兰德马场？”

“好吧，不是关掉。”卢小心地选择措辞。“不是，我只是想缩小它的规模。现有的马准备好后我们就帮它们找新家，不再接纳新的。到了秋天，我们就只会剩下六匹也许找不到新家的永久居住者。你可以保留赫特兰德马场，只是规模要小得多。”

艾米一下子跳了起来。“不！”

“艾米，理智点，”卢说，“我们不得不承认，这是现实的解决办法。”

“外公，你同意这个决定吗？”艾米转向外公寻求帮助。

“卢说得有道理，艾米，”他说着叹了口气。“秋天一到，你整天都要去上学。泰应付不了十五匹马。如果我们把额外的土地租出去，就有足够的收入来抚养剩余的马了。”

艾米目不转睛地看着他，感觉好像一把刀子绞进了她的心脏里。“你怎么能？”她小声说，声音里充满了伤感和迷惑。她一下子跳起来，声音提高了。“你怎么能这么做？你怎么能这样对妈妈？”

“艾米……”外公开口道。

“我以为你像我一样热爱这个地方！”艾米吼道。

卢气愤地一下子跳起来：“你怎么敢那样对外公说话！”

艾米猛地转身。“我恨你！”她尖叫道，“你为什么不滚回纽约去做你那份好工作，待在那里永远别回来！这里没你什么事！”

艾米痛苦地抽泣着冲出了厨房，猛地甩上门。她漫无目的地奔跑，当朝珀加索斯的马厩跑去时她泪如雨下。她张开双臂抱住了它的脖子。

几分钟后，安静的脚步声停在了马厩门外。“艾米？”是外公。

“走开！”她抽噎道。

但杰克·巴特利特走进马厩里，一只手放在她肩膀上。她避开他的碰触，但接着，她看到了他的脸，充满关切和忧伤，她忍不住扑到他怀里。“噢，外公，我受不了。我真的受不了！”

外公紧紧抱着艾米，让她尽情哭泣，他轻轻地抚摸着她的头发。在他们身边，珀加索斯对着温暖的夜轻声地嘶叫着。

艾米第二天早上下来时双眼红肿，脸色苍白。她发现卢在厨房里，她坐在餐桌边，无精打采地搅拌着她那杯咖啡。她们的眼神相遇了。

“艾米。”卢说着站了起来。

艾米不理她，径直穿过厨房从后门走了出去，啪的一声把门甩在身后。

她径直走到萨加富的马厩里。一看到那匹小马驹安静地躺在麦秸上，桶里的食物一动未动，她就把自己的烦恼抛到了脑后。它看起来是如此虚弱。她匆匆去菜园又摘了些苦艾叶来喂它吃了几片。它的嘴唇在她掌心里蠕动，将艾叶弄散到了地上。“你要吃下它们，萨加富。”艾米说。捡起叶片时她感到越来越绝望。“只要你试试就好，它们也许能帮你恢复胃口。”萨加富用呆滞的棕色眼睛看着她。

她顿了顿，突然无比清晰地看出了真相。萨加富不想恢复胃口。它不想好起来。它太想念贝尔夫人了，它想死。如果艾米想让它吃东西，就必须找到一种方法来抚平它的悲痛。

她从其他马身边走过，它们在门上踢撞，充满希望地嘶鸣，但她没有心思理会。她匆匆走到饲料室，来到角落里的书架前。她翻开妈妈的一本书，翻到情感问题那一章。书上推荐使用花精和香薰油。艾米决定从精神刺激的解救方法开始，她发现书架上有个深棕色的瓶子。她匆匆赶到萨加富的马厩里，从瓶子里滴了两滴到手背上，把手递给它。它嗅了嗅，然后无精打采地舔掉了。

艾米如释重负地叹了一口气。至少这是个良好的开始。她又往它的水桶里加了十滴，然后离开了马厩。现在她能做的就只有等着看会发生什么了。

泰稍后就赶到了，两人一起开工，开始打扫马厩。艾米一边忙活一边情不自禁地想着萨加富，那个治疗方法会起作用吗？她正在胡思乱想，突然被车道上越来越近的马蹄声打断了。一匹栗色的马马蹄哒哒地走进了院子，骑马的是个年轻人。

“嘿！”艾米好奇地打了声招呼，走过去迎接骑马人。

“你是艾米吗？”他问道。艾米点了点头。男人下马，伸出了手，“泰勒 · 埃利斯。这是明日之星。哈利维尔先生让我送它过来的。”

明日之星！是那匹送过来治疗不肯上拖车问题的马。“噢，没错。”艾米看着马温暖的脖颈。“你骑马到这里花了多长时间？”

“几个小时。”泰勒显然注意到了她吃惊的神情。“但要它上拖车得花两倍长的时间。它会发疯，躺在地上不肯动。我们真心希望你能治好它这个毛病。”

艾米看着这匹纯种马。它五官轮廓清晰，一双大眼睛显得很平静。她手伸进口袋掏出一颗薄荷糖，它欣然接受了，姿态优雅。“噢，我们会的。”她轻轻抚摸着明日之星的脸，留意到它友好地蹭着自己。

泰勒略微抬起眉毛，看起来想说点儿什么，但就在这时，一辆车从车道上开了过来。“车是来接我的，”他说，“尼克说他今晚会给你打电话。”他迅速拍了拍明日之星，“他对这匹马有宏伟计划。”

艾米帮忙从车里卸下了明日之星的鞍辔和毛毯，把马安置在珀加索斯隔壁的马厩里。她离开一会儿，让它安顿下来，迟些时候开始训练。

午饭后，艾米让泰把拖车开到院子里来。“让我们来看看它会怎么反应。”她一边去拿明日之星的马笼头一边喊道。她发现马笼头是用最上乘的英国皮革制成的。哈利维尔先生——明日之星的主人，显然不缺钱。

她把马笼头从明日之星的耳朵滑过套在它的头上，把脖子上的碰锁扣上。“这是匹骏马。”泰由衷地赞叹道。

艾米牵着明日之星往拖车走去，但明日之星一看到拖车，艾米就感觉到它全身僵硬。

“走。”

明日之星站着一动不动，耳朵向后竖起。“走。”艾米坚持重复道，不断鼓励它上前。

这匹纯种马又向前迟疑地走了几步，抬起头，朝边上冲去。

“吁，冷静！”泰喊道。“放松，艾米。”

艾米点了点头，马乱跑时，她用尽全身力气抓紧马笼头。“没事的，放松，小伙子！”但它好像中了邪似的。它后腿直立，前腿在空中乱舞，差点儿就要碰到她的头了。

“艾米！”厨房里传来一声尖叫，但艾米几乎没听到。她从那愤怒的马蹄下跳开，明日之星的腿一落到地面，她就趁机抓住了它嚼子旁的缰绳，拉着它转了一小圈，不让它再跳起。

艾米拉着它不停地转圈，她迅速拉着它离开了拖车，让它停了下来。“好的。”她说，直视着它的眼睛。“这么说你不喜欢拖车。我明白了。”

“艾米！”卢从房子里跑出来。一双碧眼惊恐万分地睁圆了。“你没事吧？我真怕你会被马踩死！”她在离艾米有一段距离时停了下来，面如死灰。

艾米吃惊地看着她。“它只是后腿直立。”话一出口她就想起她不跟卢说话的。她气愤地皱起了眉头。“无论如何，你会关心吗？”

卢看起来像是被人当面刮了个耳光，两片红霞飞上了她的两颊，她迅速转身，往回朝房子走去。

艾米注意到泰吃惊的神情。她不想解释。她把注意力重新转移到明日之星身上。“好吧，小伙子。”她抚慰着马儿说，“让我们慢慢来。”她咂了咂舌头，把它往后牵回到马厩里。她想，什么事都需要一步一步来。

等到艾米给明日之星刷洗完，把它安顿在马厩里后，她开始感到歉疚。她不停地想起卢脸上受伤的神情，和她气冲冲走回房子的样子。收拾好明日之星的马笼头后她朝厨房望去。她可以透过窗户看到卢。情急之下，艾米匆匆穿过院子。

卢听到后门开了，朝后望去，看到是艾米，她的脸立即蒙上了一层寒意。

“卢……”艾米不自在地说。

“干吗？”卢厉声道。她双目含冰。

艾米脱口而出：“刚才在外面和明日之星在一起的

时候我不该对你那么冲。”她看着卢，期望看到她神情缓和下来，但没有。卢只是站在那里，脸变得越来越红。

“我……我不是当真的。”艾米说。

卢的双眼蒙上了一层愤怒和羞辱的阴影。“但问题是，艾米，我真的觉得你是故意的！”她转身大踏步走出了厨房，狠狠地把门甩在身后。

那“砰”的一声在厨房里回响。艾米震惊地瞪着门。卢拒绝接受她的道歉！她心里充满了羞辱和伤心。她愤怒地向后耸了耸肩，心想，好吧，如果卢想这样，那好——很好！

那天剩下的大部分时间，艾米都在萨加富的马厩里陪它，抚摸它的耳朵，梳理它的皮毛，绝望地想要让它感觉好些。泰经常过来陪她坐一会儿。令艾米欣慰的是，他没有提起卢的话题，相反只是谈萨加富，以及他们还能做些什么来帮助这匹设得兰小马驹。

那天傍晚，萨加富慢慢睡着了。艾米亲了亲它的鼻子，蹑手蹑脚地走出它的马厩。她要让它休息，利用这个间隙来训练明日之星。

给这匹纯种马套上马笼头和一根长绳后，她牵着它走到小训练场。“现在，你和我要增进一下感情了。”她对明日之星说，揉了揉它的额头。她松开长绳，往后退，用绳子末端轻抽它的臀部。“走吧。”

明日之星吃惊地喷着鼻息，略向边上躲避。艾米咂了咂舌头，朝马挥舞着绳子。明日之星开始绕着训练场小跑。当她把鞭子朝马挥过来时，马开始慢跑。她不停地咂舌让它继续，每当它貌似想停下来时就朝它举起长绳。

艾米知道她要让明日之星信任她。要达到目的，她必须向它表示她会聆听它的心声，她理解它。她要和它“联合起来”。艾米看玛丽恩做过无数次，但这还是她第一次亲自尝试。她深吸了一口气，把注意力集中到明日之星身上。

她注视着明日之星的眼睛，肩膀与明日之星的脑袋平行。她驱使它绕着训练场转。跑了六圈后她让明日之星放慢速度，转动左肩来示意明日之星改变方向，然后再让明日之星继续。

艾米注视着明日之星的内耳。发现明日之星的耳朵不动了，似乎锁定在她身上。看到这个，艾米知道她已经赢得了明日之星的尊重。

明日之星脑袋略微倾斜，开始四处舔舌，做出咀嚼的动作。艾米挥舞了一下绳子，让它接着走了一小会儿，它终于发出了艾米一直等待的信号。

明日之星伸长脖子，低下头，一直低到快挨着地面。艾米感到一阵喜悦的震颤。它这是在告诉艾米，它想和艾米联合了。

艾米垂下双目，把鞭子卷起，侧对着明日之星站着。明日之星放慢了速度，停下了。艾米用眼角的余光可以看到它正望着自己。艾米屏住呼吸，当明日之星朝她走来时，她慢慢吐出那口气。

明日之星一靠近艾米便伸长了脖子，用鼻口触碰她的肩膀，轻声喷着鼻息。艾米慢慢转身，揉搓着明日之星两眼之间。她感到全身像触电了一样嗡嗡响。明日之星和她建立了关系。它走过来就表明它信任艾米。

为了确认，艾米从明日之星身旁走开。明日之星紧跟着她。她兜了个圈，朝右边走去，然后又朝左兜了个圈。明日之星始终跟在她身边。她试着跑动，明日之星也小跑跟着。她停下来，明日之星也停下来。最后艾米终于转身抚摸着它的脖子，再次揉搓着它的额头。

艾米把绳子向后收起。

再试几次艾米就能试着让明日之星上拖车了。

那天晚上艾米进屋去吃晚饭时，她带了几本书。萨加富的情况变得更糟糕了。尽管它还从艾米手里接受药物，但没有显示出任何真正好转的迹象。

艾米知道天然疗法需要时间才能产生作用，但她脑子里不停地重复出现那个可怕的念头——萨加富还剩下多少时间?

她坐在空荡荡的厨房里，翻开了一本书。也许有其他更有效的、她还没有尝试过的方法。她飞快地翻书查找。这时卢走了进来。看到艾米，她期期艾艾地停在门口。艾米不理她。

“你……是不是还在找帮助萨加富的方法？”卢看到了那些书，问道。

艾米“砰”的一声把她正在看的书合上了，站了起来。

“它怎么样了？”卢的眼神犹豫地在艾米的脸上探询。

“别装作你很关心的样子！”艾米刻薄地说，朝门走去。“你非常清楚地表明了你对马和我的态度！”

“艾米！”卢喊道。她用一只手捋着头发。“听我说！这太荒唐了。我只是想理智些。”她的声音抬高了。“这里得有人理智！”

“理智！”艾米喊道，“如果我们一直都很理智，妈妈就绝不会创建这个地方！”她怒视着卢，转身大踏步走出了房间。

第八章

“它看起来很不好。”泰摇了摇头，用担忧的眼神看着艾米。他们并肩站在萨加富的马厩里，凝视着这匹设得兰小马驹。

萨加富每喘一口气都发出喘息声，鼻孔里流出一条黏稠的鼻涕。这是他们最不想看到的征兆。“它身体太弱，无力抵抗了。”艾米焦急地说，“我要去给斯科特打电话。”

她匆匆朝房子走去，去打电话。尽管现在还是大清早，但斯科特立即变得警觉起来：“我一个小时内到。”

艾米回到马厩。“他在路上了。”她低头看着萨加富，看着它艰难地呼吸，热泪盈满了眼眶。

“我去给其他马喂食。”泰拍了拍她的胳膊。“你就待在这里。”

艾米点了点头，跪在萨加富身边。它叹了口气，咳嗽着，无精打采地把头搁在麦秸上。

斯科特赶到时，神情十分关切。听完萨加富的呼吸后，他摇了摇头。“是支气管肺炎。”斯科特检查完后直起身子说道。“正如我担心的，它的免疫系统严重衰退。”他用手揉了揉它的额头。“艾米，”他叹了口气，“我们很可能会失去它。”

艾米气馁地凝视着他。“但你肯定能做点儿什么！”

“我当然可以给它开些对症的药，”斯科特说，“但药物不足以保住它的性命。它失去了生存的意愿。”

艾米看着这匹小马驹。她不能接受。“我不会让你放弃的，萨加富！”她下定决心。不管要付出什么代价，她一定要让它活下来。

斯科特给萨加富注射完抗生素和止痛药，取了一份黏液用做实验室分析，之后他和艾米离开了马厩。“继续让它保持温暖、安静，继续尝试让它吃东西。一有变化就给我打电话；另外，我明天会再过来。” 当他们从前排马厩经过时他好奇地打量着明日之星。

“新马？”

“是的，它昨天刚到。它被送到这里来治疗它的拖车恐惧症。”艾米解释道。

“很漂亮。”斯科特说，他好奇地朝马厩走去。“你知道吗？它看起来很眼熟。它的主人是谁？”

“一个名叫尼克·哈利维尔的人。”艾米说着拍了拍明日之星。

“哈利维尔！”斯科特喊道，“你说的是那个尼克·哈利维尔？”

艾米耸了耸肩。

“艾米，”斯科特说，看着她就好像她疯了。“尼克·哈利维尔是著名的骑马越障表演大师。”斯科特看到艾米的眼睛睁大了。“是的，就是他。他几个月前刚搬到这一带。我去过他家院子几次，我想我认得明日之星。它是院子里的关注焦点——未来的奥林匹克冠军，尼克这么说的。”

艾米吃惊地瞪着斯科特。她面前站着一匹哈利维尔的马。尼克·哈利维尔，骑马越障表演天才，“他说明日之星很特别，我还以为他的意思是对他来说。”她难以置信地说。

斯科特摇了摇头。

“哇！”艾米对明日之星刮目相看。“哇！”

斯科特咧嘴笑了。“那么它情况进展如何？”

艾米把明日之星对拖车的反应和她对它的联合训练告诉了他。“进展很好。我今天会再试一次，但……”她想起萨加富，“好吧，萨加富的情况那么糟糕，我想我最好还是陪陪它。”

“萨加富只需要休息，”斯科特说，“像往常一样继续其他工作就可以了。”他瞄了眼手表。“我有一个小时的空闲，不用去任何地方，我能看看你训练明日之星吗？”

“欢迎，”艾米满口答应，“我去拿缰绳来。”

斯科特靠在栅栏上看艾米对明日之星进行联合训练。某种程度上说，能把全部注意力集中到明日之星身上，暂时忘掉对萨加富的担忧对她来说是一种解脱。明日之星只慢跑了两圈就低下了头，用嘴做出咀嚼和舔舌动作。艾米转身让它朝自己走来。明日之星蹭着她的肩膀，像昨天一样跟着她在训练场上转。

她停下来抚摸着明日之星的脖子。明日之星把脸面向她抬起，对着她用鼻孔喷气。“你觉得怎么样？”她自豪地问道，拉紧长绳，牵着明日之星朝斯科特走去。

他翻过栅栏，在她身旁停下。“你有你母亲的风范。”他说着，眼神温暖。

艾米感到热泪刺痛了她的双目，她垂下眼睛。斯科特抱紧了她。“她会为你感到自豪的。”他温柔地说。

艾米艰难地咽下了喉咙里的哽咽。明日之星感觉到了她的痛苦，轻轻蹭着她，脸在她胳膊上擦，它乌黑的眼珠瞅着她，眼神里充满了吃惊和关切。她泪眼婆娑地微笑着，拍了拍明日之星。

“那你接下来要对它采取什么措施？”斯科特问道。

艾米擦掉眼里的泪花，把注意力转移到明日之星身上。“我想我需要看看它对拖车的反应，”艾米说。“希望它这次会信任我。”

她在口袋里找奖赏。奖赏很重要，如果明日之星的确足够信任她，愿意进拖车或甚至走进拖车，她就能奖励它，让进拖车变成一种愉快的体验。

当他们牵着明日之星穿过院子朝拖车走去时，斯科特说：“我很快会给你送另一个病人过来，当然是在你愿意接受的前提下。”

“谁？”艾米皱起眉头问道。

“斯巴达。”斯科特看到她疑惑的神情。“还记得马伦农场的那匹枣红色种马吗？”当看到她大吃一惊时，他脸上闪过一丝担忧。“当然，如果你不想让它到这里来，”他飞快补充道，“我肯定我们能找到其他地方。”

艾米不知道说什么好。正是因为这匹马，她和妈妈那天才会出去。她看到它将会是什么滋味？她能克制住自己吗？

“你不必现在就决定，”斯科特看出了她内心的矛盾，她知道自己的眼神中肯定流露出来了。“只要为我记在心上就好了。行吗？”

艾米咬着嘴唇点了点头。

他们走到户外拖车所在的地方。斯科特放下后车厢和斜板后身子往后退，让艾米牵着明日之星跟着她打转，它的头几乎就要碰到她肩膀了。它看起来就像个蹒跚学步的婴儿跟在妈妈屁股后头。当她确信它很开心、很放松时，艾米开始朝拖车靠近。

明日之星喷了喷鼻息，停住脚步往后退。它这是在说它不开心。艾米听懂了它的心声，转圈离开了拖车。她瞟了一眼明日之星。它停下来跟着艾米行动，眼睛里带着吃惊的神情。

“你会听我的，”它似乎在说，“你真的会听我的！”

艾米继续走，明日之星一路小跑着跟在她身后，当明日之星再次和她并肩时，它放慢速度开始步行。这次明日之星比之前靠得更近。又走了几圈，艾米再次尝试。

这一次，明日之星对艾米足够信任，跟着她绕着拖车走。在绕着拖车顺、逆方向转过后，艾米走上了斜板，朝拖车里走了几步。明日之星在斜板底部停下了，前蹄正好对着斜板。它猝然抬起了头。很好，艾米坐在斜板边上对它示意，从口袋里拿出一根胡萝卜，咬了一口。

明日之星听到咯吱声，耳朵朝那个方向竖起。艾米略微朝它的侧边望去，在胡萝卜头边用力咀嚼。明日之星喷了喷鼻息，垂下头，走上了斜板，朝艾米的脸上喷气。

“决定要加入我是吗？”艾米微笑道，将胡萝卜掰成两半，给了它一半。艾米尽量表现得平静，但内心里她的心因喜悦而跳上跳下，她把剩下的胡萝卜也喂给了明日之星，然后站起身，径直走进拖车，从另一端走出来。明日之星只略一迟疑就跟着她走了进去。

她抚摸着明日之星的脖子，立即牵着它重来了一次。这次明日之星没有丝毫犹豫。

她牵着明日之星远离拖车停了下来。斯科特朝他们大踏步走来。“做得好极了！”

艾米双臂环绕着明日之星的脖子，用力抱紧它。“它太聪明了！”艾米说，两眼中闪耀着喜悦的光彩。

斯科特笑道：“它是唯一的。”

斯科特走后，艾米把明日之星牵回到马厩里，匆匆去找泰告诉他这个好消息。泰正在后排牲口棚里打扫马厩。

“当然了，它还没有完全治愈，我要带着它再进出多次才行，然后它就能学会和其他人一起进去了，这难道不令人高兴吗？”艾米喋喋不休地讲道，兴奋之情溢于言表。

泰点了点头，朝她咧嘴笑了：“我肯定他的主人会高兴死。”

“猜猜他的主人是谁？”艾米的声音里透着一丝骄傲。她顿了顿，“尼克·哈利维尔！”

泰像她当初一样吃惊。“那个障碍赛明星选手？”

“是的！”艾米说。“刚开始我都没想到，他在电话那头说话的声音真的很普通。”她突然听到一声干涩、刺耳的咳嗽声从萨加富的马厩里传来。她心里沸腾的兴奋顿时消失殆尽。“萨加富。”她迅速走到马厩边，从门往里望去。

那匹可怜的小马驹状况没有明显改善。呼吸依然粗重，每呼吸一次都发出尖利的喘息声。

泰也走进了马厩。“用些茶树油也许能帮它清理呼吸道，”他说，“去年冬天这招在‘大礼帽’身上挺管用的。如果我们能让它吃下点大蒜和紫椎花结瘢剂就好了，它们对缓解感染有好处。”

“我去看看能做些什么。”艾米说。

她往一块化妆棉里滴了几滴未稀释的茶树油，放在萨加富的鼻子下，小心不碰到它的鼻口，以防刺激它的皮肤。几分钟后，她拿开了，又喂萨加富吃了一些泰推荐的草药，但萨加富只是别过头去。艾米挫败地叹了口气。草药能帮它抵御感染，但它不吃就没有办法了。

艾米整个上午都和萨加富待在一起，按摩它的耳朵和脸，时不时地停下来给它喂点儿吃的，但根本没用。

午餐时间到了，泰走进马厩。“你需要休息一下。”他说。

“我没事。”艾米回答道。她决定不离开萨加富。

泰皱了皱眉。“你看起来不太好。”他坚定地说，“你需要吃点儿东西，呼吸一些新鲜空气。来，去吃午餐吧。”艾米吃惊地看着他。她没有习惯他的命令。但泰的语气很坚定，艾米不情愿地屈从了。

“晚些时候你还要训练明日之星吗？”他们走进厨房找吃的时候他问道。

“嗯……我不知道。”艾米满脑子只有萨加富。

“我想你应该去，”泰说，“你要巩固它今早的进展。”

艾米知道泰是对的。“我想也是。”她说。

他扬起了眉毛。“你知道。”

吃过午餐，艾米把明日之星牵出马厩来重复早上的训练。很快，这匹栗色马就非常开心地跟着她从拖车里跑出跑进了。

泰在看。

“它看起来很棒！”

艾米微笑道：“你想试试吗？”

泰牵着明日之星，艾米走在一侧，明日之星再次走进了拖车。等到艾米喊停，结束这次训练时，明日之星已经能相当开心地跟着泰一个人从拖车里进进出出了。艾米感到无比兴奋。这是个巨大的进步。如果明日之星只跟着她进拖车那根本没用。接下来就要开始等明日之星进去时收起斜板了。

“我想今天够了，”她急着赶回去看萨加富，“我们适可而止吧。”

可就在她要把明日之星牵回马厩时，一辆银色的大轿车咕噜咕噜朝车道驶来。“谁来了？”泰好奇地问道。

艾米皱起眉头。“我不知道……”她突然停住了，“噢，是的，我知道。”车越来越近，她的心随之一沉，她看到了车前排副驾驶座位上坐着的那个灰金色长发的女孩。“是艾什莉和她妈妈。”

“艾什莉·格兰特？”泰问道，他认出了艾米的障碍赛对手，“从绿石南马场来的？”

艾米点点头：“我不知道她们想干吗？”

车停了下来。瓦尔·格兰特，一个大块头女人从车上走下来，她留着短金发，大腿紧紧地包裹在深蓝色马裤里。艾米吞了口口水，走了过去。“你好，格兰特夫人。”

瓦尔·格兰特面露微笑。但这个笑似乎露出了太多洁白无瑕的牙。“艾米，”她说，“你好吗？”

“很好。”艾米说，心里不知道她想要干什么。

艾什莉也下了车。她靠在车门上，闪亮的秀发如瀑布般垂落在她肩头。“嗨，艾米。”

“嗨。”艾米简短地说。

“听到你妈妈的事我们感到很难过。”瓦尔·格兰特热切地说，“我们觉得该过来看看你。你还应付得来吗？”

“还行，谢谢。”艾米礼貌地答道，她们是她最不愿与其分担问题的人。格兰特夫人似乎没在听，她的眼睛在院子里搜寻，好像在找什么东西。

瓦尔·格兰特把注意力重新转移到艾米身上。“听人说你这里来了一匹尼克·哈利维尔的马。”她语气随意，但眼神却很犀利。

原来你是为这个来的！艾米暗自心想。她愉快地点了点头，很满意看到艾什莉和格兰特夫人脸上的肌肉绷紧了。“是的。它在那边的马厩里。”明日之星很会把握时机，恰在这时把头从马厩门上伸了出来。

“噢。”艾什莉很吃惊。她走到马厩旁，抚摸着明日之星。她一边抚摸，一边冲站得和她有点儿距离的泰微笑。“你好。”她说。

“是谁在治疗它？”格兰特夫人问艾米。

“是我。”她回答道。

瓦尔·格兰特看起来像不相信自己的耳朵。“我明白了。”她清了清喉咙。“好吧，如果你需要帮忙，可以告诉我。艾什莉！”她喊道，“我们不要再打扰艾米了。”

艾什莉最后朝泰笑了笑，回到了车上。她上车的时候甚至都没有和艾米道别。还真是关心我，艾米嘲讽地暗忖到。

瓦尔·格兰特打开驾驶座那边的车门时顿了顿。“你们的其他马呢？你打算继续照顾它们吗？”

艾米点点头。“是的，谢谢。我们很好。”

瓦尔·格兰特若有所思地点了点头，上了车。艾米目送她们远去。她摇了摇头，回到泰身边。

“嗯，不错的母女俩。”他扬起一边眉毛，评论道。

“你这就看走眼了！”艾米说。

艾米那天余下时间都和萨加富在一块儿。傍晚时分，泰过来找她。“我现在要下班了。”他说，“它有没有什么改善？”

艾米摇了摇头。萨加富的呼吸依然粗重，体温依然很高。“但我是不会放弃的。”她用手梳理着头发。“我们肯定能做点什么。”

泰关切而理解地看着她。“别整晚待在这里，你看起来筋疲力尽。”

“我不会的。”艾米叹了口气。“明天见。”

泰一走艾米就又重新开始忙活起来，用橙花油轻轻按摩萨加富的脸。她一边按动手指，心里一边默念着希望它能好起来。“我会不断尝试的，”她对萨加富说，“我下定决心一定要让你渡过这个难关，萨加富。”但萨加富的头依然搁在麦秸上，就好像萨加富在它和艾米之间竖起了一道无形的屏障，无论艾米怎么努力都无法接近它。

艾米忘情地沉浸在自己的工作中，傍晚变成了黑夜，她都没有注意到马厩地板上拖长的身影。全神贯注了这么久，她的太阳穴开始抽痛，她把头靠在萨加富的脖子上。

“艾米。”她抬起头，外公已经回来了。“我想你现在该回去了，亲爱的。你已经尽力了。”

艾米心里涌起挫败感。“如果没让萨加富好起来，尽力了又有什么用呢？”她撒气地说。

“艾米，回家。”看到外公坚定的神情，艾米不情愿地站起身，一声不吭地离开了马厩。往房子走去的路上她从饲料室拿了满怀的旧书。

也许她漏掉了什么东西。要帮助萨加富，她还要做更多的努力才行。

第九章

“艾米！电话！”泰冲院子喊道。

艾米吓了一跳。这是第二天的下午。除了花一点时间训练明日之星，她几乎没有离开过萨加富。这匹设得兰小马驹不停地咳嗽，每用力一次，整个身体都不停颤抖。情况更糟糕了，她的心猛地往下一沉。她摸了摸萨加富的耳朵。外面的天空阴沉沉的，空气凉爽，但萨加富的耳朵又潮又热。

泰匆匆走到马厩门外。“尼克·哈利维尔打电话来了。”

艾米站起身。她头痛欲裂，两眼发涩。她晚上看书看太晚了，一门心思想找到能帮助萨加富的治疗方法，但一无所获。艾米朝房子走去。

“嗨。”她拿起话筒说，“我是艾米·弗莱明。”

“你好，艾米。”尼克说，“我打电话是想看看明日之星怎么样了？”

艾米靠在墙上。餐桌上摆满了账本——一页一页写满了小数字和一栏一栏的计算。“不错。”她强忍着集中精神。“实际上很好。它今早走进拖车，还让我们把斜板收进去了。明天，我……”

尼克打断了她的话：“你让它进拖车了？”

“是啊，”艾米说，“它现在进去很开心。它还没有完全治愈——还需要一些时间——但它显然已经上路了。”

“我把它送过去才两天，而你说它已经能轻松地上斜板了？”尼克听起来难以置信。“一点问题都没有？”

“是的。”艾米耐心地回答道。

“我得去看看！”

“嗯，就像我说的，它还没有准备好回家。”艾米迅速说。“我们得让它在汽车开动时习惯待在拖车上，这还需要一些时间。”

“我总能去看看它上斜板吧？”

“当然。”艾米回答道。

“这真是天大的好消息。我半个小时就到。”

“什么？现在？”艾米的眼睛睁大了。“这实在不是好时候，”她慌忙说，“你看……”

但尼克·哈利维尔似乎不打算让她拒绝。“我不会待太久的，”他打断道，“我只想很快看一眼。半个小时，一会儿见。”

艾米挂上电话。这不是她想要的。她甚至还没给明日之星梳洗！就在此时，卢手里拿着计算器走进了厨房。

“嗨。”卢打了声招呼。

艾米冷冰冰地看了她一眼算是回答。

“我们刚接到一个好消息，”卢笑容满面地说，“瓦尔·格兰特刚打电话过来了。她主动提出帮我们照看几匹马，直到我们把事情理顺为止。她将要来接珀加索斯、桑旦斯和茉莉。”

艾米吃惊地喘了口气。

“怎么了？”当卢看到她的反应时皱起眉问道。

“我不会让她把它们接走！”艾米喊道。

“为什么不？”卢不解地问道。

“因为她对待马的方式！没门儿。卢！绝对不行！”

“噢，艾米，她不是那么糟糕。”卢扬起了眉毛。“这是合理的做法，以后也许她会愿意永远收留它们——也许会买下它们——这将会真正帮我们一个大忙。”

“绝不！”艾米肺差点儿要气炸了。“你怎么会考虑送走爸爸的马？”

“但是艾米……”

艾米从厨房里跑出去，用尽全身力气在身后甩上门。

泰正在萨加富的马厩旁等她。“嘿！发生了什么事？”看到她气呼呼地从院子里走来，他吃惊地问道。

艾米突然控制不住自己。她太累了，许多感情在心头激荡。她把头埋进手里，痛哭失声。泰走上前，把她抱进怀里。“嘿，没事的，”泰柔声劝道，“告诉我发生了什么事？你为什么这么生气？”

艾米哭哭啼啼地把卢的最新计划告诉了泰。

“我恨她，泰！我真的恨死她了！她会毁了一切！”

泰抚摸着她的头发。“好了，这太疯狂了。一切都会好起来的。”

“怎么会呢？”艾米喊道，“仅凭外公、你和我根本应付不来！卢只想着回纽约去！我们该怎么办？”

“会出现转机的。”泰依然抚摸着她的头发。“你就等着瞧好了。”他一直抱着她直到她的抽泣平息。最后她用鼻子吸了吸气。“我把你的T恤都弄湿了。”她说着往后退，感到有点儿难为情。

“没关系，”泰静静地说。他凝视着她，脸上挂着关切的微笑。“那尼克·哈利维尔想要干什么？”

艾米突然想起来了，眼睛顿时睁大了。“他现在就想过来看看明日之星！你能帮我为它刷洗一下吗，泰？”

“嗯，实际上，”泰换了换脚，看起来有点儿不好意思。“我正打算离开。”艾米突然注意到他已经换下了工作服。“我今天上半天班，”他说，像是要提醒她。“我知道最近我不能休假，但我得去给家里买些吃的什么的。”

艾米顿时感到非常歉疚。她完全忘记了泰通常一周会休息半天。他最近工作太辛苦了。

“如果你需要，我会留下来。”他提出。

“不，当然不要。”艾米飞快地说，她一只手按着太阳穴，因为它们突然又开始抽痛了。“你太好了，泰。你回家吧。”

“我把一切都做好了。饲料准备好了，马厩都打扫干净了。”他朝她走来，眼睛里尽是担忧。“你确定自己没事吗？”

“当然。”她抬头看着他焦急的脸，笑了——话情不自禁地脱口而出，“谢谢你所做的一切，泰，”她说，“你是个真正的朋友。”

两人沉默了一阵。泰的眼睛搜寻着她的，突然出其不意地伸手抚上了她的脸颊。被他温暖的手轻轻一碰，艾米感到巨大的恐惧流遍了全身。

不过是几秒钟。泰后退。艾米把手抬到脸上，灰色的眼睛睁得大大的，惊讶得说不出话来。

“明天见。”泰喃喃道，转身大踏步迅速离开了。

艾米盯着他的后背，汹涌的情感淹没了她——她被他的行为暗含的意思惊呆了，但她不得不承认她心里还是感到了一丝甜蜜。他为什么要那么做？他这个动作是什么意思？

“艾米！”她模模糊糊听到外公在房子里喊她，“苏拉娅的电话！”

心还在荡漾，艾米昏昏沉沉地从院子跑过去。

当艾米第三次牵着明日之星从拖车里走出来时，尼克·哈利维尔喊道：“这太神奇了！”

尼克·哈利维尔在一旁观看，脸上的惊奇一览无余。

他和电视上看起来一模一样——金发，被太阳晒得黝黑的皮肤，一双碧蓝的眼睛非常敏锐。艾米第一眼看到他从车里走出来时，突然感到一阵紧张，但现在有明日之星来分散她的注意力，她的紧张一扫而光。

“好吧，就像我在电话上说的，它还要进一步训练，但这是个良好的开端，”艾米说着把明日之星牵了过去。马儿加快脚步朝主人走去，在他张开的手掌里一点点舔。

“良好的开端？大大超出了我的期望。”尼克兴致勃勃地拍着这匹栗色马的脖子。“你创造了奇迹，”他对艾米说。他上下打量着她。“多大了？”

“十五。”艾米回答道。

他难以置信地摇了摇头。“嗯，你对它的帮助超过了其他所有人，就像我说过的，它是匹非比寻常的马。”尼克冲艾米微笑。“到时候我把话一传开，来找你的马将数不胜数。”他微笑道，“你最好再建个牲口棚。”

想到老天有多么不公平，艾米喉咙哽住了。再建个牲口棚！如果放任卢胡作非为就不可能。艾米望着牲口棚旁边以及更远处的牧场，心里突然盈满了痛苦的沮丧。一旦卢的计划开始施行，所有这一切都将变得面目全非。牧场和牲口棚里不再挤满了马儿。赫特兰德马场将不复存在，无法再帮助那些最需要帮助的人，也不会再有像萨加富和明日之星这样的马。

尼克似乎没有注意到她的沉默。他在她肩上拍了拍。“好吧，我不想耽搁你的时间。谢谢你让我来看一看。我什么时候能把它接回家？”

艾米强按下自己的痛苦。

“大约十天时间，”艾米说，“到时候我会通知您的。”

“好的，再接再厉！”尼克·哈利维尔最后拍了拍明日之星，大踏步穿过院子，朝自己的汽车走去。

艾米目送尼克·哈利维尔离去。“明日之星。”她小声道，把自己的脸埋进了马的脖子里，让疲惫的浪潮席卷她全身，“生活为什么这么复杂？”她听到后门开了，扭头一看。

卢走了出来。她迟疑了片刻，走了过来。“我一直在厨房窗户边看，”她说，和明日之星隔着一段距离停下了。她看上去很不自在。“我只想对你说：做得好。你真的……做得非常棒。”

对艾米来说，这是最后一根稻草。“好的，谢谢，卢！”火热的愤怒在她体内激荡。“好像你真的在乎似的！”她喊道。愤怒、痛苦、疲倦吞噬了她。“如果事情真按照你的方式来进行，赫特兰德马场就再也别想帮助任何一匹马！”

卢向前走了一步：“艾米……”

“别碰我！”艾米轻声说，“如果你真关心就会留下来帮助我们，让它继续开放而不是关闭它。但你不关心任何真正重要的事情！”艾米激动得全身发抖。“你不关心外公、我和马！至于妈妈——你真意识到她死了吗？”她被情绪冲昏了头脑，不假思索地抓住了明日之星的马鬃，跨上了它的背。

“艾米！”卢惊恐地抬高了嗓门。“艾米，停下来！

你这是要干什么？”

“离你越远越好！”

艾米抽噎了一声，夹紧了明日之星。

明日之星向前跳跃，只有一根缰绳拉着它，艾米骑在它的光背上，飞奔过原野，跑到通往树林的小径上。

艾米不停地往前飞奔，除了绝望地想要逃离，她心里一片空白。她一直骑到距离房子有好几公里才停下，这时才发现明日之星气喘如牛，身体两侧汗流如注。

她让它放慢速度开始行走，然后停下了。艾米突然惊恐地意识到自己做了什么。明日之星不是她的。她的心开始怦怦乱跳，她翻身下马。马呼吸粗重，鼻孔湿润，张开着。她蹲下，迅速检查了一下它的腿。幸好没有明显受伤的痕迹，她松了一口气。她甚至不敢去想明日之星有多珍贵。如果她伤了它一丝半毫……

她张开双臂环绕着这匹栗色马火热潮湿的脖颈。“噢，明日之星，对不起。”明日之星蹭了蹭她，喷了喷鼻息。艾米揉搓着它的脑袋，环顾四周。他们这是到了哪里？他们早就偏离了小径，头上高耸着参天大树。她听到高高的树顶上传来第一阵雨声。她浑身战栗，肩膀上感觉冷飕飕的。

她重新上马，咂了咂舌头，拉着明日之星转向，往回穿过树林原路返回。但过了几分钟她才发现自己记不得是从哪条路过来的。小路上有许多分岔。当他们第四次经过看起来像是同一棵倒下的树时，艾米开始感到惊慌。怎么样才能找到回去的路呢？

当他们走到路上的又一条分岔时，艾米从左看到右。她绝望地将缰绳搭在明日之星的脖子上。哪条路？她真的一点儿印象都没有了。突然，明日之星竖起耳朵，朝左边的路走去。艾米正要制止它，但停住了。明日之星有没有可能记得回去的路？她安静地坐着，不再发出任何施令，任凭它在树林中择路穿行。

就在她认为这匹纯种马不认得路，正要放弃所有希望时，明日之星突然从树林里走了出去，走到了小路上。她大大松了一口气，身子向前倾，张开双臂抱住了明日之星的脖子，热泪盈眶。

下午慢慢变成了晚上，天空中小雨淅淅沥沥往下落，艾米的T恤和牛仔裤都湿透了，但她不在乎。她们就快要到家了。

当她靠近大门时，卢从院子跑过来。艾米心往下一沉，她开始意识到自己有多冲动。“对不起。”她喊道，从明日之星身上跳下来，用冰冷的双手拉紧缰绳。“真的对不起，卢。”她看着卢，等着她勃然大怒。然而没有，她看到卢眼睛睁得大大的，充满恐惧。

“艾米！”她喘着粗气说，“是萨加富……我想它快要死了。”

第十章

急忙把明日之星关进它宽松的马厩后，艾米跑到后排牲口棚，她的心狂跳不止。她从半截门看过去。那匹小马驹正平躺在麦秸上，双眼紧闭。卢在它身上披了条毯子。“小萨加富。”艾米哽咽道。打开门，她蹲在它身旁，异常温柔地抚摸着它的脖子和脸。“求你不要死，求你好起来。”这时她再也控制不住自己，剧烈的痛苦撕裂了她的心，她泣不成声。

“我已经给斯科特打过电话。”卢说。她不确定地站在马厩门口。“他已经在路上了。”

艾米点了点头，对她的做法表示认同。

“明日之星怎么样？”卢问道。

“明日之星？”艾米突然想起明日之星正又冷又湿地站在宽松的马厩里。“它需要梳洗一下。”她半站起身，接着再次跪下来抚摸着萨加富的脖子。她不忍离开它。

“我去。”卢突然说，“你就待在这里。”

艾米吃惊地转过身，但卢已经匆匆穿过院子。这时萨加富咳嗽起来。艾米的眼睛重新挪回到它身上。抚摸着它的脖子，她的身子在湿漉漉的衣服里发抖。

过了一小会儿，她听到马达和开车门的声音。急促的脚步声从院子传过来。她回头一看，是斯科特走进了马厩。“艾米。”他声音嘶哑地叫了一句，在她旁边跪下了。他没有再多说什么，立即开始给萨加富做全身检查。艾米的眼睛又蒙上了一层雾气。

卢出现在马厩门口。她端着一杯咖啡，拿着一顶毛茸茸的帽子和一条毛毯。“给，”她对艾米说，“你全身湿透了。”艾米的手指冻僵了，几乎没法摘掉头上的帽子。

她大口吞着热咖啡，根本不知道什么味道。

“我半个小时前发现它这副样子，”卢对斯科特说，“我往地上撒了些新鲜的麦秸，尽量让它保持温暖。”

“你做得很对。”斯科特说，第一次正眼看她。

“你能想出什么法子吗？”卢问道。

斯科特抚摸着萨加富的脖子。“好吧，我会给它再打几针来抵抗感染，帮它止痛，但也仅限于此了。”他站起身叹了口气。“它状况实在糟糕，”他一只手揉着眼睛上方说道，“也许最好的做法是让它安眠。”

“什么？”艾米颤抖着双唇问道。

“我们不能让它受煎熬，”斯科特回答道，“它已经受够了。”

“你说过可以给它注射止痛剂。也许它会好起来的！”艾米低头看着那匹四肢伸展、躺在麦秸上的设得兰小马，声音哽咽了。

斯科特在她身旁蹲下，手搭在她肩头。“用再多的药也没用。它失去了生存的意念，艾米，”他柔声说，“这才是问题所在。它不想努力活下来。如果它想，就还有希望。但它放弃了。”

“再给我一晚上！”艾米疯狂地恳求道，“只要再给我们一个晚上的时间！”

斯科特长久地凝视着她。“好吧，”他最终说，“再给一个晚上。”他站起身准备给萨加富打针。几分钟后他离开了，他走时转身对卢说，“我明早一起床就过来。如果有什么变化给我打电话。”

艾米点了点头。“我会的。”她冲斯科特感激地一笑。“谢谢你这么快就赶了过来，斯科特。这对我们俩来说都很重要。”

“没问题。”斯科特再次看着她，语气热情，“那明天见。”

艾米坐在萨加富的马厩里，轻柔地抚摸着这匹小马驹的脖子。要是它能告诉她它需要什么就好了。就在此时，她觉得自己好像令它失望了。

当夜晚变成深夜，萨加富的呼吸变得更浅了。她抚摸着萨加富的脸。“萨加富，”她小声呢喃，热泪从脸上簌簌滚落。“请告诉我，你到底想要什么？”

马厩门开了。是卢。她和外公晚上隔一段时间就过来看看萨加富。“艾米，太晚了，”她柔声说，“你该回去睡了。”

艾米摇了摇头。“我得待在这里陪萨加富。”

卢跪在它身边：“让我来陪陪它吧。”

艾米吃惊地看着卢。卢看起来很平静，已经下定了决心。

卢点了点头。“你需要休息。进屋去，你不能总熬夜。”卢很坚持，艾米只得屈服，她太累了，再没有力气争辩。她麻木地走回到屋里。外公正在厨房等她。

“它怎么样了？”外公看到艾米脸上的神情，“还是没有起色？”

艾米摇了摇头。外公走上前紧紧抱住了她。眼泪簌簌地从艾米眼里滚落，她把头靠在外公的胸膛上。

艾米突然从床上坐起身来——什么时候了？她看了看床边的钟，她睡了好几个小时。要是卢离开了牲口棚，留下萨加富独自死去可怎么办？她决不会原谅自己睡过了这么重要的时刻。

艾米从床上爬起来，冲到窗边。她看到后排牲口棚的一盏灯亮着，她松了口气。卢肯定还在里面。

艾米下楼，朝厨房里看了一眼。收音机是开着的，外公在安乐椅上睡着了。她轻轻地从外公身边走过，出了门。夜风吹到脸上冰凉如水，艾米急匆匆地穿过院子。当走到牲口棚时她放慢了脚步，尽量不发出一点儿声响。她走到萨加富的马厩。

卢的声音从里面飘出来，但艾米听不懂她在唱什么。她从马厩门往里看。卢正坐在萨加富头边，跟它说话。艾米正打算推门，这时才发现卢泪流满面。

她吃惊地停住了手。她从没有见过卢哭。她不确定地向后退，不知道该如何反应。

“噢，萨加富，我该怎么办？”她听到卢说，她的声音低沉而绝望。她哽咽着。“我想我再也撑不下去了。我努力装作坚强，我努力应付。但我是多么想念妈妈啊。”

卢开始真真切切地哭起来。艾米僵在了原地，不知道该怎么做。她想说点儿什么，但不知为何，有什么东西阻止了她。

透过眼泪，卢又开口了，“妈妈总说我是坚强的那一个，萨加富，但我再也应付不了了。”她喉咙哽住了。“我失去了爸爸，又失去了妈妈。我现在没有可倾诉的对象了。外公和艾米认为我不在乎，但他们不懂我。我只是装勇敢，他们需要我坚强。”

听着卢的话，艾米双眼睁大了，可怜的卢，她恐惧地想到，自己从来没有意识到这一点。

“你懂的，是不是？萨加富？”卢说，空气中出现了短暂的沉默。“我也会失去艾米，我不能容许这种事发生……我决不能。”

艾米偷偷走上前，透过马厩墙壁的缝隙往里看。卢正轻轻抱着搁在她膝盖上的萨加富的头。她的声音因哭泣而抽噎，她开始轻轻地对着这匹小马驹歌唱。

几秒钟后，卢的声音渐渐变弱了。“你在这里会开心的，”她柔声说，“这里有牧野，有新鲜的干草，有凉爽茂盛的树荫，有爱你、关心你的人。”她亲吻着它。“我知道你失去了妈妈，萨加富。但艾米和我也失去了妈妈。我们懂你的感受。这里可以成为我们所有人的家。”她又开始唱歌。

透过眼泪，艾米突然注意到萨加富动了，它眼里闪现出亮光。她凝视着。不知为何，歌声似乎钻进了它的心窝里。当然了，正是这样。贝尔夫人总是边干活边唱歌——显然，歌声让萨加富想起了家，给了它安慰。就在此刻，这匹设得兰小马驹虚弱地抬起了头。

卢倒抽了一口冷气，停止了歌唱，一脸惊讶。“萨加富！”她小声说。这匹小马驹长久地凝视着她。然后慢慢地，费了好大的劲，走过去用鼻口蹭她的胳膊。“你好，小伙子。”卢颤抖着声音小声说。她抚摸着它的头，萨加富轻轻地喷了喷鼻息。“你喜欢那首歌吗？”

卢拿起艾米早先带进马厩里的草药。喂了一点儿给它吃，令艾米大为惊讶的是它居然开始吃了。卢抓起一把，又开始轻轻给它唱歌。

萨加富吃完后，卢走过去把饲料桶提了过来。她慢慢地，一把接着一把，把饲料喂给萨加富吃——米糠，大麦，胡萝卜和苹果。最后，萨加富别开了头。

卢放下桶。“现在睡吧，”她柔声说，“休息下，小伙子。明天我们再一起面对。”

萨加富把鼻口搁在麦秸上，闭上了眼睛，艾米悄悄走进了马厩。

卢吓了一跳。“艾米！”她的神情立即变得害怕和防卫起来。“你在那里站了多久？”她小声问道。

艾米迟疑了片刻，想着是否要撒谎，但她听到的太多了。她与卢眼神相对，眼泪在眼眶中打转。艾米一把搂住卢的脖子，哭道，“我为自己对你说过的所有伤人的话道歉。我不该说你不在乎，我只是不理解你。”

卢回抱着她。“没关系，”她安抚道，“艾米，没关系。”

艾米抽出身来。“不，有关系！我早该明白的。你也治好了萨加富的病。”她看到那匹小设得兰马终于睡着了。“我看到它吃东西了。”

卢的眼睛熠熠生辉：“它好像突然苏醒了。我什么都没做。真的。”

“你做了！”艾米激动地说。“你难道没看出来吗?你理解它所经历的。你像贝尔夫人过去那样跟它哼歌，让它想起曾经有个多么幸福的家。你给了它一个再次奋斗的理由。”有一会儿，艾米和卢两人都痴痴地看着那匹小马驹。“我原以为你讨厌马。”艾米说。

“我从来就没有讨厌过它们，”卢飞快地说，“我只是觉得它们让我失去了一个又一个亲人，和它们在一起勾起了我的许多回忆。但我开始明白：人不能逃避过去。”看到萨加富朝麦秸喷鼻息，她笑了。“这个小东西教会了我：绝不能对痛苦屈服。”她把一只手放在萨加富头上。

“我回纽约后会想念它的，”卢柔声说，她扭头四下看了看，“也会想念赫特兰德马场。”

“那就别回去了，”艾米鲁莽地说，“待在这里，待在这里帮助我们经营它。你能帮泰和我一把。我能把妈妈教给我的所有技巧都教给你，我们一起能行的。”

“噢，艾米，我不能。”卢说摇了摇头，“我的生活在纽约。”

“但这里是你的家！”艾米喊道，“你对萨加富这么说过！”她看出这话起了作用。“我听你亲口说的，卢。你说我们能一起住在这里。”

卢动摇了：“但我们从哪里弄钱来？没有了妈妈，谁会把马送过来？”

“会有的！”艾米迅速把尼克·哈利维尔那天下午看完明日之星之后说的话告诉了卢。“他会向每一个认识的人宣传！”她抓住卢的手。“我们能做到的，卢！”她说，“我们真的能！”

卢沉默了一会儿。“我们一向都合不来，我们是如此不同。我们会吵架的。”

“我们又会和好。”艾米说，“我会变得实际，变得理智。”

卢哈哈大笑：“就算你努力，你也做不到。”

“好吧，也许不能，”艾米咧嘴一笑承认了。“但至少我会尝试。”她看着卢，“请说你会留下来，求你了！”

她们听到身后响起麦秸的瑟瑟声。两人立即转身。萨加富抬起头正看着她们。它的眼神恢复了神采。艾米能看出它已经发生了翻天覆地的改变，它想活下来。

卢的目光从萨加富身上转移到艾米身上。她深吸了一口气。“我不会做任何承诺，”她说，“但目前，我会留下来。”她用力捏了捏艾米的手。

艾米呼了一口气，“噢，卢，你不知道这对我来说意味着什么。你离开了这么久。”她张开双臂搂住姐姐的脖子。“谢谢你回家了。”

精彩抢先读

《马背上的女孩》之二
《斯巴达的幸福》

事故发生后，艾米反复在同一个梦中濒死挣扎。

艾米看到妈妈拉开了小汽车的驾驶座车门，她试图尖叫，但却发不出声。她想制止她，但却一动也不能动。她只能眼巴巴地望着妈妈转动钥匙，发动了引擎，整个人都吓傻了。

然后梦境改变了。

艾米和妈妈都坐在小汽车里。那匹枣红色的种马在她们身后的拖车里惊慌乱蹬，把拖车撞得东摇西晃。

艾米拼命想醒过来，但却更深地卷入了梦中。

玛丽恩双手紧握方向盘。“我这是疯了，”她喃喃道，碧蓝的双眼逼视着艾米，“我就不该听你的，艾米。”

“妈妈！”艾米绝望地啜泣，“停下，求你了，快停下！”

但玛丽恩不听她的。

一道闪电划破了暗沉的天幕，拖车里的马蹄声淹没在头顶上的一声惊雷中。

路前方，艾米看到树木在暴风雨中身不由己，被肆虐得东摇西摆，艾米开始尖叫。树枝聚拢在车顶，在上面刮擦，发出阵阵“砰砰”巨响。一声惊天动地的响雷炸开了，听起来像是头顶的大炮轰然作响，紧接着，绷紧的树木发出长长一声无力的“吱呀”。她们正前方，一棵树开始慢慢朝路上倒去……

“不！”艾米尖叫道，“不要！”

“艾米！艾米！快醒醒！”

艾米感到有人在摇自己的肩膀。她睁开眼，发现自己正躺在一张硬木板床上。外公正探身看着她，忧虑地紧锁眉头。

“外公。”艾米困惑地坐起身来。

艾米闻到了一股熟悉的淡淡香水味。挂在墙上的照片中的马俯瞰着她。她在妈妈的房间里。妈妈的一件外套还放在她出事那天放的一张椅子上。梳妆台上蒙了一层薄薄的灰尘，梳子里卡着几根金发。六周过去了，自从玛丽恩·弗莱明在那个暴风雨之夜死去后，房间里的一切都没有改变。

看到所有这些熟悉的东西，艾米胃里一阵翻江倒海。“我怎么到这里来了？”

杰克·巴特利特看到她一脸震惊。“没事的，宝贝儿。”他迅速说，“你肯定是梦游了。”

“是个可怕的梦。”艾米疲惫地说，她站了起来。房间里的空气安宁静谧。她四处张望着，长长的棕色头发被汗水濡湿了。

“来吧，已经过去了，”外公安慰她说，“我陪你回房间去。”他的手臂环上了她的肩膀。

这时，妈妈卧室的门开了。艾米的姐姐卢站在门口。“发生什么事了？”卢问，顶着一头在被窝里压得乱蓬蓬的金色短发。“我听到有人尖叫。”

“已经没事了，” 杰克·巴特利特一边扶着艾米朝门口走去，一边飞快地说，“艾米做了个噩梦，梦游了。”

“噢，艾米。”卢说着迅速走到艾米身边。

“我没事。”艾米说，她不让外公搀扶，从卢身边经过，朝门口走去。她只想赶紧逃离这个房间。妈妈再也不能回来了，这对她来说实在太难承受。